PROFIL D'UNE ŒUVRE

Collection dirigée par Georges Décote

LA COMÉDIE HUMAI

BALZA

Analyse critique

par Pierre-Louis REY

Agrégé de l'Université,
Docteur ès lettres

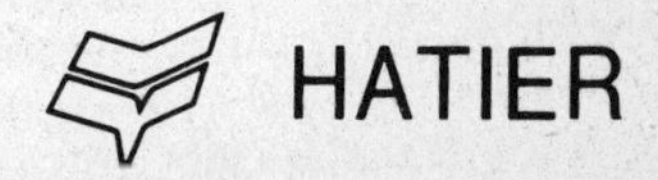

Sommaire

ISBN 2-218-**04589**-3

Introduction

Peu d'auteurs ont été identifiés à leur œuvre autant que Balzac à la *Comédie humaine.* On oublie un peu qu'il a écrit dans sa jeunesse d'autres romans, parfois estimables *(Falthurne* ou *Sténie);* que son théâtre comprend neuf pièces *(Le faiseur* est la mieux connue), sans compter de nombreuses ébauches; qu'il attachait lui-même beaucoup d'importance à ses *Contes drolatiques.* Sa production journalistique est considérable. Enfin, on doit ajouter à l'œuvre proprement dite la correspondance et notamment les lettres à Madame Hanska (dites parfois *Lettres à l'étrangère).* Il est vrai que ces lettres, adressées à partir de 1832 à une femme qu'il rencontra l'année suivante mais n'épousa que quelques mois avant sa mort en 1850, constituent surtout pour le critique un véritable journal de la *Comédie humaine.* La *Comédie humaine* est en effet l'œuvre de sa vie. Elle fournit une tentation à ceux qui prétendent s'aider de la biographie des écrivains pour éclairer leur production littéraire; car on y retrouve la passion qui consume l'énergie, le goût de la démesure, l'attirance vertigineuse pour l'or aussi bien que pour l'Absolu, bref toutes les composantes parfois contradictoires du tempérament de Balzac. C'est au point que, artistes ou criminels, les grandes figures de la *Comédie humaine* paraissent répéter, au sein de la fiction, l'acte créateur de Balzac lui-même. Seul, après lui, Proust devait investir autant de soi-même dans une œuvre romanesque. Comme Balzac, il allait y user ses forces et mourir avant d'avoir pu mettre un terme à son projet.

Diversité et unité de la *Comédie humaine*

1

COMMENT NAQUIT LA «COMÉDIE HUMAINE»

Quand Balzac entreprend en 1825 la *Physiologie du mariage,* il ne pense sûrement pas à l'intégrer plus tard à une architecture gigantesque. Mais les *Scènes de la vie privée,* groupées en deux volumes dès 1830, sont déjà une préfiguration du projet. La publication des *Scènes de la vie de province,* avec notamment *Eugénie Grandet,* va conférer une première cohésion à son univers romanesque. C'est du reste la même année (1833) qu'il songe sans doute à faire réapparaître ses personnages d'un roman à l'autre. Cette trouvaille, qui reçoit son application en 1834 dans *Le père Goriot,* marque la véritable naissance de la *Comédie humaine.*

De ce titre, il n'a cependant encore nulle idée quand il écrit en 1834 à Madame Hanska:

> «Je crois qu'en 1838 les trois parties de cette œuvre gigantesque seront, sinon parachevées, du moins superposées, et qu'on pourra juger de la masse.
>
> Les *Études de Mœurs* représenteront tous les effets sociaux, sans que ni une situation de la vie, ni une physionomie, ni un caractère d'homme ou de femme, ni une manière de vivre, ni une profession, ni une zone sociale, ni un pays français, ni quoi que ce soit de l'enfance, de la vieillesse, de l'âge mûr, de la politique, de la justice, de la guerre, ait été oublié.

Cela posé, l'histoire du cœur humain tracée fil à fil, l'histoire sociale faite dans toutes ses parties, voilà la base. Ce ne seront pas des faits imaginaires; ce sera ce qui se passe partout.

Alors la seconde assise est les *Études philosophiques* car, après les effets, viendront les causes. Je vous aurai peint, dans les *Études de Mœurs,* les sentiments et leur jeu, la vie et son allure. Dans les *Études philosophiques,* je dirai pourquoi les sentiments, sur quoi la vie; quelle est la partie, quelles sont les conditions au-delà desquelles ni la société ni l'homme n'existent; et après l'avoir parcourue (la société) pour la décrire, je la parcourerai *(sic)* pour la juger. Aussi, dans les *Études de Mœurs,* sont les *individualités* typisées; dans les *Études philosophiques* sont les types individualisés. Ainsi, partout j'aurai donné la vie: au type, en l'individualisant; à l'individu, en le typisant. J'aurai donné de la pensée au fragment; j'aurai donné à la pensée la vie de l'individu.

Puis, après les effets et les causes, viendront les *Études analytiques,* dont fait partie la *Physiologie du mariage,* car, après les effets et les causes, doivent se rechercher les principes. Les mœurs sont le spectacle, les causes sont les coulisses et les machines. Les principes, c'est l'auteur; mais, à mesure que l'œuvre gagne en spirale les hauteurs de la pensée, elle se resserre et se condense.»

Déjà revient dans d'autres lettres la comparaison de l'œuvre entreprise avec une cathédrale. Il ne travaille pourtant pas à son édifice avec la sérénité voulue. Souvent, il doit livrer au libraire une pierre du monument plus tôt que prévu, parce que les besoins d'argent se font pressants. La fièvre de créer et celle de dépenser s'épaulent l'une l'autre. Pour la première fois, en 1839, dans une lettre à l'éditeur Hetzel, il mentionne l'expression de *Comédie humaine,* probablement suggérée par la *Divine Comédie* de Dante. Le titre figure dans le contrat qu'il signe en 1841 avec un groupe de libraires. L'ensemble est déjà fort avancé et impressionnant, même si les *Études analytiques,* qui paraissaient devoir former au départ la pierre angulaire de l'édifice, sont restées, à l'exception de la *Physiologie du mariage,* à l'état de projet. De son œuvre, Balzac rend compte dans l'*Avant-propos* qu'il publie en 1842: «L'idée première de *La Comédie humaine* fut d'abord chez moi comme un rêve, comme un de ces projets impossibles que l'on caresse et qu'on laisse s'envoler.» Balzac explique que, parti d'une comparaison entre l'Humanité et l'Animalité, il a acquis la conviction que «la Société ressemblait à la Nature». «La Société ne fait-elle pas de l'homme, suivant les milieux où son action se déploie, autant d'hommes différents qu'il y a de variétés en zoologie?» «Rendre intéressant le drame à trois ou quatre mille personnages que présente une Société», «étudier les raisons ou la raison de ces effets sociaux», tels sont les buts mis en valeur dans cet *Avant-propos.*

Balzac continue à travailler d'arrache-pied à son œuvre après 1842. Pourtant, plutôt que de diversifier son inspiration, il approfondit les veines déjà creusées. *Illusions perdues* et *Splendeurs et misères des courtisanes* y gagnent de l'ampleur. *Les paysans,* dont la première partie est publiée en 1844 (la seconde ne verra jamais le jour), est l'aboutissement d'un projet fort ancien: il en annonçait une première rédaction à Madame Hanska dès 1838. Les réussites les plus originales des dernières années de sa vie sont *La cousine Bette* et *Le cousin Pons (Les parents pauvres).* Ses deux dernières années sont peu fructueuses. A sa mort, en 1850, il laisse de nombreuses ébauches et plusieurs projets avortés[1].

REGARD SUR L'ENSEMBLE

Maints critiques l'ont dit: pour comprendre et apprécier la *Comédie humaine,* il faut la lire en entier (on ne juge pas d'une cathédrale sur une seule de ses tours ou sur quelques bas-reliefs). Le conseil est évidemment plus aisé à donner qu'à suivre. La pente de la facilité aidant, la critique et les manuels scolaires ont imposé en Balzac l'auteur d'*Eugénie Grandet* ou du *Père Goriot. Illusions perdues, Splendeurs et misères* s'adressent déjà à des lecteurs dotés d'un meilleur souffle. La tradition engendre parfois des bizarreries: *Le lys dans la vallée* souffre d'être moins «balzacien» que d'autres (entendez qu'on y retrouve moins aisément les catégories et peut-être les clichés qu'on a coutume d'enseigner sur Balzac); *La recherche de l'Absolu* pâtit de son titre (le lecteur

1. Il écrivait à Zulma Carraud en janvier 1845: «Voilà seize ans que j'y suis, et il faut huit autres années pour terminer.»

non averti croit à une réflexion abstraite quand il s'agit d'une des intrigues les plus passionnantes de la *Comédie humaine);* le sujet de *La vieille fille,* fort divertissant, était sans doute trop scabreux pour être popularisé dans les classes. Mais surtout, si l'on excepte *La peau de chagrin,* les *Études philosophiques* sont le plus souvent réservées à des initiés. Même *Louis Lambert,* qui contient peut-être la quintessence de la pensée de Balzac et pourrait attirer par son côté autobiographique nettement marqué, demeure mal connu du grand public.

Dans cette architecture considérable, chacun marque ses préférences. André Wurmser se passionne pour l'aspect immédiatement réaliste de la *Comédie humaine,* mais il s'avoue peu porté vers les élucubrations philosophiques qui la couronnent. Gaëtan Picon, dans son *Balzac par lui-même,* cache mal une prédilection qui va à l'opposé. Balzac, durant les premières années où s'élabore la *Comédie humaine,* se montre agacé qu'on le reconnaisse plutôt romancier que philosophe. Il voit dans *Eugénie Grandet* une «bonne petite nouvelle, facile à vendre»; mais il la juge tout à fait indigne d'être comparée à *Louis Lambert.* Après la parution de *La recherche de l'Absolu,* il se lamente: «*L'Absolu,* dix fois grand, selon moi, comme *Eugénie Grandet,* va rester sans succès.» Le triomphe remporté par *Le père Goriot* ne le laisse certes pas insensible («Il n'y a qu'une voix: *Eugénie Grandet, l'Absolu,* tout est surpassé»), mais il confiera un peu plus tard: «On peut faire *Goriot* tous les jours; on ne fait *Séraphîta* qu'une fois dans sa vie.» Ces protestations ne doivent pas nous impressionner outre mesure: après tout, Voltaire préférait bien ses tragédies à ses contes... On peut surtout juger significatif qu'au fur et à mesure que la *Comédie humaine* avance, Balzac laisse en friche ses réflexions philosophiques pour donner plus de temps et d'attention à des œuvres qui dépeignent la réalité économique et sociale de son temps. Au-delà des choix clairement formulés, il y a peut-être là une pente irrépressible de son génie. Au vrai, la philosophie ne déserte pas la pensée de Balzac, mais elle nourrit des romans d'allure réaliste.

C'est qu'au moment où il entreprend la *Comédie humaine,* Balzac sait bien que le roman est considéré comme un genre mineur. S'affirmer comme écrivain, c'est alors se donner pour un philosophe ou un homme de théâtre. Stendhal a dû suivre le même détour. Si *Eugénie Grandet* se vend bien, Balzac en est ravi pour l'état de ses finances; mais ce succès redouble le mépris de la critique autorisée. Son mérite est en somme d'avoir forcé l'estime en persévérant dans son entreprise de romancier et d'avoir largement contribué à imposer à l'opinion les vertus esthétiques et philosophiques du roman. Le revirement n'est pas si rapide puisque, un an avant sa mort, les membres de l'Académie française lui préfèrent le duc de Noailles et le comte de Saint-Priest. Mais une révolution dans l'ordre des valeurs littéraires est en marche: il est avéré qu'on peut être penseur et artiste dans et par le roman. Autant dire que si l'entreprise de lire entièrement la *Comédie humaine* paraîtra inaccessible à la plupart, il faut savoir qu'aucune des parties qui la composent ne doit être *a priori* tenue à l'écart. Il est bon, quand on étudie les *Lettres persanes* ou *Le rouge et le noir,* de savoir que Montesquieu ou Stendhal ont écrit *d'autres œuvres:* à plus forte raison, quand on étudie *Eugénie Grandet* ou *Le père Goriot,* faut-il avoir une idée d'*Illusions perdues* ou de *Louis Lambert* puisqu'il s'agit, cette fois, de *la même œuvre.*

DE QUELLE COMÉDIE S'AGIT-IL?

• *«Comédie à cent actes divers...»*

«Les tragédies ne sont pas mon fait, voilà tout», commente laconiquement Balzac après l'échec de son *Cromwell.* Pour se consoler, il va écrire une «comédie»: la plus grande du XIXᵉ siècle. Boutade si l'on veut; il n'empêche que Balzac a été hanté toute sa vie par le théâtre (sa dernière œuvre est une pièce: *Le faiseur)* et que le titre de son chef-d'œuvre reflète d'une certaine manière cette passion. Par théâtre, entendons plus généralement le sens du spectacle et aussi l'interrogation fondamentale sur le monde des apparences: faire semblant, est-ce cesser d'être vrai? Si Balzac n'a sans doute pas eu avant 1839 l'idée du titre de son œuvre, il en avait déjà groupé en «scènes» les différentes parties; c'est dire qu'en baptisant l'ensemble *Comédie humaine,* il concrétisait une intuition ancienne. La leçon de conduite que donne Madame de Beauséant à Rastignac dans *Le père Goriot* témoigne suffisamment que le monde est un théâtre et qu'il faut, pour tirer son épingle du jeu, y faire montre d'adresse et de talent plutôt que de sincérité: «Si vous avez un sentiment vrai, cachez-le comme un trésor; ne le laissez jamais soupçonner, vous seriez perdu.» C'est parce qu'il saura entendre ces conseils que Rastignac fera carrière.

Les vrais acteurs qui apparaissent dans la *Comédie humaine* tiennent par profession le rôle que les autres personnages sont aussi bien appelés à jouer. «Donne-leur des grimaces pour leur argent», conseille Coralie à Lucien de Rubempré dans *Illusions perdues.* A force de jouer, on «colle» si bien à son personnage que les notions de sincérité et de mensonge se confondent. «Son repentir (lit-on encore de Lucien), quelque violent qu'il fût, n'avait d'autre valeur que celle d'une scène parfaitement jouée et jouée encore de bonne foi!» S'il reste à Lucien des illusions, elles lui seront définitivement ôtées par Vautrin, conscience désabusée s'il en est, expert en masques et en retournements: «Aujourd'hui, jeune homme, la Société s'est insensiblement arrogé tant de droits sur les individus, que l'individu se trouve obligé de combattre la Société. Il n'y a plus de lois, il n'y a que des mœurs, c'est-à-dire des simagrées, toujours la forme.» La substitution des mœurs aux lois, l'état de légitime défense où se trouvent les individus par rapport à la Société et qui leur autorise tous les moyens d'action, mais d'abord l'hypocrisie et le renoncement aux valeurs, voilà ce qui transforme en comédie la vie sociale.

• *Théâtre et roman*

D'un bout à l'autre, Balzac unifie son œuvre autour de cette intuition. Ce sont d'une part ceux qui, comme Vautrin, mettent en scène, sont les maîtres du jeu (un peu à l'image de Balzac lui-même, orchestrant ses personnages et ses intrigues à sa guise).

Ainsi de Gobseck l'usurier, doué de «la pénétration de tous les ressorts qui font mouvoir l'Humanité». A l'autre bout de l'œuvre et à l'autre extrémité de l'échelle, dans *Le cousin Pons* (le dernier grand roman), c'est un malheureux vieillard, inadapté aux règles du jeu: «Ce bonhomme qui, depuis douze ans, voyait jouer le vaudeville, le drame et la comédie sous ses yeux, ne reconnut pas les grimaces de la comédie sociale sur lesquelles il était sans doute blasé.» Balzac l'oppose aux ambitieux qui débutent à Paris: «Tout leur fait échelle pour monter sur le théâtre.» Enfin, achevant sa présentation du *Cousin Pons,* il écrit: «Cette comédie, à laquelle cette partie du récit sert en quelque sorte d'avant-scène, a pour acteurs tous les personnages qui jusqu'à présent ont occupé la scène.» Comparaison fut-elle jamais plus explicite?

La *Comédie humaine* offre une grande diversité formelle. Le temps sur lequel s'est étalée sa composition (près de vingt années) suffirait à l'expliquer. Non seulement Balzac a progressivement réduit les aspects théoriques de son œuvre, mais son talent de romancier a évolué depuis *Eugénie Grandet* («bonne petite nouvelle» selon lui) aux derniers développements de ce grand feuilleton que constitue *Splendeurs et misères des courtisanes.* Mieux qu'*Eugénie Grandet,* d'autres œuvres témoigneraient du reste du talent de nouvelliste de Balzac: récits courts comme *Le bal de Sceaux* ou *Sarrasine,* histoires extraordinaires comme *Melmoth réconcilié* ou *L'élixir de longue vie,* ou nouvelles «exotiques» à la Mérimée comme *La vendetta.* Il s'essaie au roman par lettres avec *Mémoires de deux jeunes mariées.* Dans *Les employés,* réduisant le récit à un dialogue, il touche presque au théâtre. Bref, à la différence de Proust par exemple, Balzac n'invite pas à rechercher dans son écriture et dans sa technique romanesque l'unité de son inspiration.

Celle-ci réside ailleurs: dans l'intuition que, notre société étant factice, le réel s'y confond avec l'apparence pour qui veut avoir prise sur elle. En représentant sur une véritable scène de théâtre sa vision du monde (comme il en a eu souvent la tentation), Balzac aurait consenti jusque dans son art à l'illusion, donnant du même coup à penser que, sur un autre registre, il était possible de regagner la réalité (sur une scène, en effet, les acteurs jouent, mais le public sait que ce sont des acteurs et qu'une fois leur costume dépouillé, ils se situeront dans un ordre différent). L'idée de génie de Balzac fut d'introduire le jeu comme une composante de la réalité en exprimant la comédie humaine non au travers de conventions scéniques, mais par le genre le plus «réaliste» qui soit: le roman. Il procède ainsi à un renversement des valeurs bien plus radical qu'il ne l'eût fait par le théâtre; la subversion n'est pas de nature esthétique, mais, si l'on accepte le roman comme un miroir de la réalité, ontologique.

La *Comédie humaine* et le réel

2

QUAND SE PASSE LA «COMÉDIE HUMAINE[1]»?

Nous indiquons ici la date, parfois approximative, à laquelle se déroulent les actions des œuvres qui composent la *Comédie humaine.*

Avant 1789

1308 : *Les proscrits*
Après 1426 : *Jésus-Christ en Flandre*
1479 : *Maître Cornélius*
xvie siècle : *L'élixir de longue vie*
1560 : 1re partie de *Sur Catherine de Médicis*
1573 : 2e partie de *Sur Catherine de Médicis*
1591-1617 : *L'enfant maudit*
1612 : *Le chef-d'œuvre inconnu*
1758 (dénouement 1830) : *Sarrasine*
1786 : 3e partie de *Sur Catherine de Médicis*

Sous la Révolution et l'Empire

Après 1789 : *Les Marana*
1793 : *Un épisode sous la Terreur, Le réquisitionnaire*
1799 : *L'auberge rouge* (dénouement 1830), *Les Chouans, Une passion dans le désert, Séraphîta*
1800 : *La vendetta* (dénouement 1815)
1803-1806 : *Une ténébreuse affaire* (dénouement 1833)
1806 : *Une double famille* (dénouement 1833)
1808 : *El Verdugo*

1. D'après F. Marceau, *Balzac et son monde.*

1809 : *Le lys dans la vallée* (dénouement 1823), *La paix du ménage,* début de *Envers de l'histoire contemporaine*
1812 : *Adieu* (dénouement 1819)
1812 : *Louis Lambert* (dénouement 1824), *La recherche de l'Absolu* (idem)
1813 : *La femme de trente ans* (idem)
1815 : *Autre étude de femme* (jusqu'en 1830)

Sous Louis XVIII

1815 : *La fille aux yeux d'or, La vendetta*
1816 : *La vieille fille*
1818 : *La duchesse de Langeais* (dénouement 1829), *Le colonel Chabert* (dénouement 1840)
1819 : *La Bourse, Le message, Ferragus, Le père Goriot* (dén. 1820), *Illusions perdues* (dén. 1823), *César Birotteau* (idem), *Eugénie Grandet* (dén. 1833)
1820 : *La Grenadière, Massimilla Doni*
1821 : *Le contrat de mariage* (dén. 1827), *La messe de l'athée* (dén. 1831)
Avant 1822 : *Melmoth réconcilié*
1822 : *Facino Cane, La femme abandonnée, Le cabinet des antiques* (dén. 1824), *Un début dans la vie* (1822-1838)
1823 : *Étude de femme, Les paysans* (dén. 1826), *Mémoires de deux jeunes mariées* (dén. 1835)

Sous Charles X

1824 : *Un drame au bord de la mer, Honorine* (dén. 1830), *Les employés* (idem), *Splendeurs et misères des courtisanes* (idem)
1825 : *Madame Firmiani*
1826 : *Le curé de Tours, La maison Nucingen*
1827 : *Pierrette*
1828 : *L'interdiction*
1829 : *Le médecin de campagne, Modeste Mignon, Ursule Mirouët* (dén. 1837), *Le curé de village* (dén. 1843)

Sous Louis-Philippe

1830 : *Gobseck* (commence en 1806), *L'illustre Gaudissart* (dén. 1831), *La peau de chagrin* (idem), *Les secrets de la princesse de Cadignan* (1833), *Un prince de la Bohême* (1837), *Les petits bourgeois* (1840)
1831 : *Gambara* (dén. 1837)
1832 : *Pierre Grassou*
1833 : *Une fille d'Ève* (dén. 1834)
1834 : *Albert Savarus* (dén. 1835)
1835 : *La fausse maîtresse* (dén. 1842)
1836 : *Z. Marcas, Béatrix* (dén. 1839), *La muse du département* (1843)
1838 : *La cousine Bette* (dén. 1844)
1839 : *Le député d'Arcis,* fin de *La rabouilleuse* (qui commence dès 1792, mais se situe pour l'essentiel entre 1815 et 1839)
1840 : fin de *Un homme d'affaires* (commence en 1833)
1844 : *Gaudissart II, Le cousin Pons*
1846 : *Les comédiens sans le savoir.*

HISTOIRE ET ROMAN

• *Un nouveau «roman historique»?*

«La Société française allait être l'historien, je ne devais être que le secrétaire.» Cette formule prononcée par Balzac dans l'*Avant-propos* de la *Comédie humaine,* pour peu qu'on la prenne à la lettre, réduit à l'extrême le rôle de l'artiste. «Avec beaucoup de patience et de courage, je réaliserais, sur la France, au XIXe siècle, ce livre que nous regrettons tous, que Rome, Athènes, Tyr, Memphis, la Perse, l'Inde, ne nous ont malheureusement pas laissé sur leurs civilisations...» Les qualités que le romancier requiert pour sa tâche sont, on le voit, modestes; rien, en tout cas, qui fasse appel au génie. Un peu plus loin cependant, le propos se fait plus ambitieux: «Pour mériter les éloges que doit ambitionner tout artiste, ne devais-je pas étudier les raisons ou la raison de ces effets sociaux, surprendre le sens caché dans cet immense assemblage de figures, de passions, d'événements.» C'est là à vrai dire le travail de l'historien: connaître une époque, mais aussi la comprendre pour en expliquer les ressorts secrets. La mission qu'il s'assigne, Balzac la rappelle dans tel ou tel roman: ainsi, au début du *Cabinet des antiques,* qui présente le romancier comme «l'annaliste de son temps».

Qu'il fasse œuvre d'historien, Balzac en convainc assez bien par l'égale manière dont il traite du présent et du passé. La notion même de «roman historique» s'en trouve remise en question. Car si Balzac reconnaît à Walter Scott le mérite d'avoir élevé le roman «à la valeur philosophique de l'histoire», il regrette que le grand romancier écossais n'ait pas «songé à relier ses compositions l'une à l'autre de manière à coordonner une histoire complète, dont chaque chapitre eût été un roman, et chaque roman une époque». Nulle rupture, dans la *Comédie humaine,* entre *Un épisode sous la Terreur* ou *Les Chouans,* qui se passent sous la Révolution, ou *Une ténébreuse affaire,* qui se passe sous l'Empire, et les scènes de la vie contemporaine. Les généalogies parfois fort longues avec lesquelles Balzac étaie la présentation de ses personnages rattachent du reste le présent au passé et permettent notamment d'expliquer comment se sont constituées les grandes fortunes. Exceptionnellement, Balzac plonge dans un passé lointain *(Sur Catherine de Médicis),* mais même alors, il donne de la société et des aspects machiavéliques du pouvoir une vision qui témoigne de la continuité de l'Histoire.

• *Balzac témoin de son temps*

Pour l'essentiel cependant, Balzac est un témoin de son temps. «C'est Saint-Simon peuple», écrit Taine. Il réagit même avec assez de vivacité aux événements de son époque pour que ses premières œuvres (les *Scènes de la vie privée* notamment) soient un témoignage sur la Restauration, tandis que les œuvres postérieures à 1830 décrivent avec fidélité la Monarchie de juillet. Son activité débordante fait de lui un témoin privilégié. La description du monde du journalisme et de l'édition contenue dans *Illusions perdues* est riche de ses démêlés avec les éditeurs de l'époque.

Il a fréquenté aussi les milieux politiques avec lesquels il a peut-être un moment envisagé de faire carrière. Il ne parle d'aucun lieu ou d'aucune époque qu'il ne les ait soigneusement étudiés: il passe l'automne 1828 à Fougères pour y préparer *Les Chouans,* se renseignant sur la région, faisant parler les habitants; l'hôtel d'Esgrignon, dans *Le cabinet des antiques,* est scrupuleusement imité de la salle d'audience du tribunal de commerce; pour décrire Angoulême dans *Illusions perdues,* il se renseigne longuement auprès de Zulma Carraud: «Je voudrais savoir le nom de la rue par laquelle vous arrivez sur la place du Mûrier et où était votre ferblantier; puis le nom de la rue qui longe la place du Mûrier et le Palais de Justice...», et ainsi de suite.

Jusque dans le détail, la *Comédie humaine* est un réservoir de documents sur la société du XIXe siècle. On trouve, dans *Illusions perdues,* un étonnant passage digne d'un spécialiste sur les origines et la nature du papier (l'usage qu'en faisaient les Chinois avant 750, la nécessité où on fut de le remplacer par le parchemin, l'apparition du Livre...); un penseur marxiste comme Lukacs est du reste passionné par cet intérêt porté aux conditions matérielles de la littérature, véritable *production* au plein sens du terme, et par sa transformation en marchandise à l'époque capitaliste; dans le même roman, le «bon à effet» souscrit par David Séchard à Lucien, et que Balzac feint de reproduire, pourrait aider à l'étude des écritures juridiques de l'époque. Parle-t-il dans *Béatrix* du jeu de la «mouche», il en donne fidèlement les règles. Enfin (contre-épreuve de la crédibilité de son œuvre), s'il s'aventure dans un domaine mal connu de lui, il l'avoue sans détour: «Je ne sais rien des cultures ni des différentes manières d'exploiter une terre», déclare Félix dans *Le lys dans la vallée;* ses insuffisances sont celles de Balzac lui-même.

Le reproche qu'on pourrait adresser à cet historien de la société du XIXe siècle est de ne pas en avoir une vision suffisamment globale. Le monde paysan, en particulier, demeure mal connu de lui. *Le médecin de campagne* met davantage l'accent sur la belle figure de Bénassis, idéaliste convaincu, que sur les réalités paysannes qui l'entourent. Dans *Les paysans* même, œuvre qui l'occupa de longues années, Balzac s'intéresse à des questions politiques (le morcellement des terres et l'avènement d'une bourgeoisie rurale) plutôt qu'à la vie des travailleurs de la terre. De façon plus nette encore, les ouvriers sont absents de la *Comédie humaine.* Sans doute ne constituent-ils pas encore cette «classe» dont les romans de Zola laissent, une génération plus tard, deviner l'avènement; du moins doivent-ils exister dans ces imprimeries, dans ces maisons d'édition dont Balzac analyse si bien les rouages; or, nous ne les voyons pas. A la rigueur le regard se porte-t-il sur les employés, sur le petit monde de la basoche ou de la boutique; mais c'est peu de chose à côté de la place que tiennent ceux qui «tirent les ficelles» du pouvoir politique et économique: banquiers, avoués, grands commerçants... Faut-il en faire grief à Balzac? Dans la «comédie» qui se joue, les grands rôles, dirait M. de La Palisse, occupent plus souvent la scène que les petits. Par l'injustice même de la répartition, la *Comédie humaine* donne une image fidèle de cette société capitaliste naissante dans laquelle la nouvelle aristocratie (celle de l'argent) réduit presque à néant les plus défavorisés.

AUX LIMITES DU RÉEL ET DE LA FICTION

• *Documents et imagination*

«Je ne cesserai de répéter que le vrai de la nature ne peut être, ne sera jamais le vrai de l'art; que si l'art et la nature se rencontrent exactement dans une œuvre, c'est que la nature, dont les hasards sont innombrables, est alors arrivée aux conditions de l'art.» Dans cette lettre (citée par P. Barbéris, *Le monde de Balzac*), Balzac vise ouvertement à être autre chose que le secrétaire de la Société. Passons sur le fait que, malgré ses scrupules, il se trouve conduit parfois à imaginer (ainsi, dans *Séraphîta,* décrit-il la Norvège, où il n'est jamais allé); ces cas sont rares. L'essentiel est que ses observations, aussi minutieuses et documentées soient-elles, sont transfigurées par la fiction à partir du moment où elles sont utilisées dans un univers romanesque plutôt que présentées comme des documents. «A ses créatures, note A. Maurois, il donne des fournisseurs réels. Le tailleur Staub habille Lucien de Rubempré; le tailleur Buisson (celui de Balzac), Charles Grandet. La bijouterie Fossin, 76, rue de Richelieu, fournit des grappes de raisins en jais à la belle Madame Rabourdin.» Certes, mais dès que ces fournisseurs s'adressent, dans une œuvre littéraire, à des personnages inventés, ils deviennent fictifs à leur tour.

Comme cela se produit ordinairement dans le roman historique, les noms inventés côtoient chez Balzac des noms «réels». Ainsi Benjamin Constant apparaît-il dans *Illusions perdues.* Il est toutefois à remarquer qu'au fur et à mesure qu'il rééditait ses romans, Balzac a eu tendance à supprimer les noms authentiques pour les remplacer par des personnages fictifs; ainsi, dans *Eugénie Grandet,* le bal chez Oudinot (personnage réel) est-il remplacé par le bal chez Nucingen (figure de banquier inventé par Balzac). Tout se passe donc comme si Balzac s'était progressivement soucié d'assurer une meilleure cohérence à son univers romanesque et comme si les figures qu'il créait prenaient suffisamment de force pour donner l'illusion de la vie sans qu'il soit besoin de leur faire côtoyer des personnages historiques. L'ajustement entre le monde réel et le monde fictif engendre cependant certaines bizarreries: ainsi, dans *Béatrix,* Camille Maupin est-elle comparée à George Sand... qui a fourni le modèle à son personnage! De même, dans *Illusions perdues,* le libraire Dauriat évoque-t-il dans une même phrase Lamartine, Victor Hugo... et Canalis (mélange étonnant quand on sait que dans *Modeste Mignon* notamment, Canalis n'est visiblement que la représentation fictive de Lamartine). Proust, il est vrai, fournira de semblables singularités: dans la *Recherche du temps perdu,* l'élégance de Swann est comparée à celle de Charles Haas, personnage réel, dont Proust s'est précisément inspiré pour imaginer Swann!

• *Pouvoirs de l'imaginaire*

Il reste que Balzac a atteint son but et mêlé si bien les domaines du réel et de l'imaginaire que plusieurs critiques ont composé des dictionnaires des personnages de la *Comédie humaine* (ainsi celui de Fernand Lotte; voir Bibliographie). Balzac avait du reste frayé la voie en rédigeant (en manière de plaisanterie) une biographie d'Eugène-Louis de Rastignac. Poussant l'entreprise à bout, F. Lotte traite les personnages comme des êtres réels au point de formuler des hypothèses sur les zones d'ombre qu'a laissé subsister le romancier; ainsi, à la fin de la rubrique consacrée à la marquise d'Espard, présente-t-il comme vraisemblable qu'elle ait eu pour amants de Marsay, Félix de Vandenesse, Rastignac et peut-être Canalis. Comme s'il existait une réalité extérieure à la lettre de la *Comédie humaine* et qu'on pût formuler sur elle des hypothèses!

Faut-il voir de simples masques dans certains patronymes de la *Comédie humaine,* plus vrais que nature, et qui, collant trop bien au personnage qu'ils désignent, risquent d'amoindrir l'impression de vérité? Ainsi le nom du commis voyageur Gaudissart évoque-t-il la gaudriole, la «gaudisserie» et lui va-t-il aussi bien qu'un surnom. Mais il faut ici rappeler que Balzac croit à la *cognomologie,* en vertu de laquelle notre nom s'accorderait avec notre personnalité. «Ceux mêmes, lit-on dans *Le curé de Tours,* auxquels le système de *cognomologie* de Sterne est inconnu ne pourraient pas prononcer ces trois mots: *Madame de Listomin!* sans se la peindre noble, digne, tempérant les rigueurs de la piété, etc.» De même le nom de Marcas: «Marcas! N'avez-vous pas l'idée de quelque chose de précieux qui se brise par une chute, avec ou sans bruit?» Celui de l'usurier Gobseck enfin est trop évocateur pour qu'il soit utile d'insister.

Avec Balzac, on a parfois l'impression que, suivant l'expression d'Oscar Wilde, la nature imite l'art plutôt que l'art n'imite la nature. En tout cas, la frontière entre la réalité et la fiction paraît souvent s'estomper. «Tous ses personnages, écrit Baudelaire, sont doués de l'ardeur vitale dont il était animé lui-même. Toutes ses fictions sont aussi profondément colorées que des rêves.» Observateur méthodique de la réalité, il est en outre doué du pouvoir d'imaginer ce qui lui demeure inconnu. «Son secret, écrit A. Maurois, c'est la voyance, la faculté d'imaginer avec tant de force ce qu'il lit, ou ce qui lui est conté, qu'il connaît parfaitement des êtres et des événements qu'il n'a jamais vus.» Cette faculté d'imagination, il l'exerce d'abord sur son œuvre elle-même, qui vit en lui au point que ses créatures ont autant d'existence que ses contemporains. Au moment de mourir, dit-on, il appela à son chevet Bianchon, le médecin de la *Comédie humaine.* D'autres se sont laissés prendre à la magie de ce monde: Oscar Wilde confessait que la mort de Lucien, dans *Illusions perdues,* était le plus grand chagrin de sa vie.

LES MOYENS DE L'ILLUSION

• *Où l'on oublie qu'il s'agit d'une fiction*

Le moyen le plus simple, pour un romancier, d'emporter l'adhésion de son lecteur et de lui faire croire à l'histoire qu'il raconte est évidemment de nier qu'il s'agisse d'une fiction. «Ce drame n'est ni une fiction, ni un roman. *All is true,* il est si véritable que chacun peut en reconnaître les éléments chez soi, dans son cœur peut-être» *(Le père Goriot).* C'est jouer sur le sens du mot *vrai:* peu importe que l'histoire se soit ou non déroulée en réalité, l'essentiel est que le lecteur sente qu'elle aurait pu se dérouler ainsi (Flaubert, de même, invoquera toutes les Emma Bovary qui pleurent dans les chaumières). De même nature, la réflexion contenue dans *Le colonel Chabert:* «Toutes les horreurs que les romanciers croient inventer sont toujours au-dessous de la vérité.» Balzac sollicite ici la crédulité du lecteur en rappelant que la réalité dépasse souvent la fiction, mais il ne nie pas qu'il s'agisse d'une fiction.

Plus sournoises sont les réflexions par lesquelles Balzac feint d'ignorer qu'il écrit un roman. Ainsi cette «roublardise» au sein du *Cousin Pons:* «Ces deux faits... feront croire à quelques personnes que cette histoire est un roman.» Dans *Une fille d'Ève,* on dit de Félix de Vandenesse qu'il est une «espèce de héros de roman». Comparer l'histoire qu'on raconte à un roman est évidemment le moyen le plus subtil de faire oublier qu'on lit un roman. Feinte semblable dans la Préface à l'*Histoire des Treize:* «Un auteur doit dédaigner de convertir son récit, quand ce récit est véritable...» L'hypocrisie est à son comble quand Balzac s'excuse de raconter une histoire banale; mais vérité oblige... C'est le cas dans *La femme abandonnée:* «Si cette histoire d'une vérité vulgaire se terminait là, ce serait presque une mystification. Presque tous les hommes n'en ont-ils pas une plus intéressante à raconter?»

Donner l'illusion de la réalité, c'est pour un romancier feindre de refléter fidèlement le monde en dissimulant son pouvoir créateur. Honnête «secrétaire» suivant sa propre expression, Balzac consigne le langage de ses personnages en en respectant les particularités. Ainsi traduit-il sur le papier le bégaiement du père Grandet, prenant le risque de fatiguer le lecteur, comme le père Grandet est censé fatiguer ses interlocuteurs. Les altérations de langue dues à l'accent allemand ou alsacien sont aussi bien respectées. Schmucke appelle son bon Pons: «mon pon Bons»; «Le foullez-visse?» demande-t-il dans *Une fille d'Ève* (il faut comprendre: «Le voulez-vous?»). Répétées à longueur de roman, ces singularités deviennent assommantes; elles sont le prix payé à une scrupuleuse illusion réaliste.

D'une manière générale, on reconnaît à Balzac le mérite de savoir faire parler ses personnages avec vraisemblance, entendez de les individualiser suivant leur tempérament, leur origine, leur culture, sans leur imposer la marque de son style. Un exemple probant: le vif échange des clercs au début du *Colonel Chabert.* Cette remarque admet pourtant des nuances. Confronté à un problème du même ordre que celui de Balzac (faire vivre un monde de personnages divers), Proust regrette que le narrateur d'*Illusions perdues* se confonde avec Lucien de Rubempré: «Lucien parle trop comme Balzac, il cesse d'être une personne réelle, distincte de toutes les autres.» L'écueil était inévitable: si Balzac ne se met nulle part en scène dans la *Comédie humaine,* il infuse sa personnalité à plus d'une figure; Lucien, mais aussi bien Henri de Marsay, Rastignac ou Félix de Vandenesse, jeunes gens pleins de talent qui tentent la fortune à

Paris, lui ressemblent suffisamment pour qu'il échoue à les singulariser vraiment. Du moment où, nous l'avons dit, l'avant-scène du théâtre est étroite et les moyens d'y parvenir limités, il est naturel que la *Comédie humaine* comprenne une pléiade de personnages, projections plus ou moins déguisées de leur auteur, qui tiennent le même langage. Mais s'il existe, *grosso modo,* deux types de romanciers: ceux qui unifient le monde au travers de leur style et ceux qui coulent leur style dans les personnages ou les situations qu'ils inventent, Balzac appartient plutôt à la deuxième catégorie.

• *Discrétion du narrateur*

Il existe une autre manière de classer les romanciers. D'une part, ceux qui racontent ouvertement une histoire, en intervenant dans leur œuvre pour en tirer les ficelles. D'autre part, ceux qui s'effacent pour placer le lecteur directement en face du monde qu'ils feignent de construire. Il arrive que les premiers s'adressent au lecteur pour susciter son adhésion, en invoquant parfois des témoignages qui augmentent la crédibilité de leur histoire; mais même dans ce cas, ils rendent la vraisemblance du roman problématique: le lecteur se représente moins un univers assez cohérent pour se substituer au sien, qu'un conteur suscitant par la magie du verbe un monde romanesque; à cette espèce appartient Stendhal. Balzac se range plutôt dans la deuxième catégorie; il intervient rarement en tant qu'auteur, et cette discrétion assure une meilleure homogénéité à l'univers auquel il donne naissance. Ce parti ne va pas sans nuances. Même s'il fait moins intrusion dans ses histoires que Stendhal, par exemple, et s'interdit pratiquement de dire *je* en tant que narrateur, il arrive fréquemment qu'il évoque devant le monde que suscitent ses romans le point de vue de l'historien, du philosophe, etc. La perspective n'est pas alors celle d'un conteur, présent dans l'œuvre, et dont nous croirions à la limite entendre la voix, mais une multiplicité de perspectives possibles, éclairant l'histoire suivant le mode qui lui convient le mieux. Mais plus souvent encore, Balzac s'abstrait totalement. Il accepte l'artifice du roman, celui qui permet à l'écrivain de dire: «La marquise sortit à cinq heures[1].» De ce style est par exemple le début du *Médecin de campagne:* «En 1829, par une jolie matinée de printemps, un homme âgé d'environ cinquante ans suivait à cheval un chemin montagneux...»

RÉEL ET FANTASTIQUE

Du moins faudrait-il faire, semble-t-il, un sort particulier aux œuvres «fantastiques» de Balzac, celles qui ne visent apparemment pas au réalisme.

Il semblerait en effet que *La peau de chagrin,* du reste qualifiée de «conte», ne doive pas être traitée comme *Le père Goriot* ou *Eugénie Grandet:* on y voit une peau mystérieuse, talisman donné à Raphaël par un antiquaire, rétrécir chaque fois que son possesseur éprouve un désir. Et pourtant, tout indique que Balzac n'a pas voulu donner à ses œuvres des statuts différents. Si l'apparition de l'antiquaire dans sa boutique revêt un caractère fantastique («Le vieillard se tenait debout, immobile, inébranlable comme une étoile au milieu d'un nuage de lumière»), on en dirait autant de l'apparition de Balthazar Claës à sa fille dans *La recherche de l'Absolu* («L'aspect de son père qui, presque agenouillé devant sa machine, recevait d'aplomb la lumière du soleil, et dont les cheveux épars ressemblaient à des fils d'argent...»), ou de celle du colonel Chabert («Son front... lui donnait quelque chose de mystérieux. Ses yeux paraissaient couverts par de la nacre sale dont les reflets bleuâtres chatoyaient à la lueur des bougies»), ou de celle de la grand-mère de Pierrette («Ce spectre sublime, debout au chevet de son enfant...») ou encore de Ferragus («C'était un cadavre à cheveux blancs; des os à peine couverts par une peau ridée...»).

1. P. Valéry dénonçait, à travers cette expression, l'artifice qui prélude à tout récit romanesque et le discrédite.

Le mystère est partout pour qui sait ouvrir les yeux. Derrière les façades rassurantes de la rue Neuve-Sainte-Geneviève se cachent des drames insoupçonnés: c'est ce que nous enseigne le début du *Père Goriot*. On pourrait prendre de l'effroi en descendant aux Catacombes; mais «qui décidera de ce qui est plus horrible à voir, ou des cœurs desséchés, ou des crânes vides?» Aussi bien *La peau de chagrin* ou les autres contes philosophiques ne livrent-ils que la face la plus évidemment mystérieuse d'un monde inquiétant dans ses manifestations les plus anodines. Il n'y a pas un Balzac «réaliste» qui observerait le monde quotidien et un Balzac «fantastique» qui donnerait libre cours à ses chimères: Balzac voit le mystère partout, là est son réalisme profond. Si à l'inverse on considère les histoires les plus extraordinaires de Balzac *(Séraphîta* par exemple), on les trouve enracinées dans la vie réelle: personnage mystérieux, l'androgyne Séraphîtüs-Séraphîta est né d'un cordonnier londonien avant de connaître une destinée surnaturelle et une «ascension céleste» en 1800.

Imprégnant les intrigues en apparence les plus prosaïques, le surnaturel influence l'expression même de Balzac. Il ne faudra pas s'étonner de voir dans *Le cousin Pons* le «Désespoir muet et froid, vêtu d'un habit et d'un pantalon noirs à coutures blanchies qui rappellent le zinc de la mansarde...», ou, quand il est question de deux amis de collège, d'apprendre que «l'un a parcouru la vie sur les chevaux fringants de la Fortune ou sur les nuages dorés du Succès». Le génie visionnaire de Balzac lui dicte des expressions qu'on jugerait saugrenues ou empruntées chez un écrivain moins inspiré: «les rouges écluses de sa bouche torrentielle», écrit-il de la Cibot dans *Le cousin Pons,* et *Le père Goriot* évoque «ce Satan aux ailes diaprées, qui sème des rubis, qui jette ses flèches d'or au front des palais». Parfois, on n'est pas loin du langage de M. Prudhomme: «Les mille flèches du désir... éther infranchissable» *(Le lys dans la vallée)* ou «le char de la civilisation» *(Le père Goriot).* Mais il faut, pour accueillir sans sourire ces expressions, savoir qu'elles représentent dans la *Comédie humaine* non de vulgaires clichés, mais la transcription de l'imaginaire balzacien. Quand Balzac décrit dans *Béatrix* le «royaume idéal» «situé bien au-dessus des grossièretés vulgaires, mais où vont deux créatures réunies en un ange, enlevées par les ailes du plaisir», c'est bien la «sphère supérieure» qu'il évoque, face idéale du monde matériel où nous vivons et à laquelle tend notre esprit. La philosophie de Balzac, profondément unitaire (Esprit et Matière sont les deux aspects d'une même réalité), influence suffisamment son œuvre pour que nous ne commettions pas l'erreur d'apprécier son réalisme à la seule lumière du monde visible et de ses apparences.

Les ressorts romanesques 3

LES DESCRIPTIONS

Décrire, c'est donner une idée aussi fidèle et complète que possible d'un lieu, d'un objet, d'un personnage; c'est user des moyens propres à la littérature pour rivaliser avec les arts de la vision, et notamment la peinture; c'est «donner à voir» (usant de la métaphore, on dira d'un romancier qui évoque un paysage qu'il dresse un «tableau», ou, lorsqu'il représente un personnage, qu'il brosse un «portrait»). Mais c'est du même coup suspendre l'action. Grossièrement parlant, on peut distinguer dans un récit la narration (qui, comme l'intrigue qu'elle est censée raconter, se situe dans le temps) et la description, qui suspend le temps. Au lecteur pressé, qui réduit l'intérêt d'un roman à la question: «Comment l'histoire va-t-elle se terminer?», les descriptions paraîtront parfois longues et oiseuses; il sera tenté de les sauter, et certaines adaptations de romans (heureusement rares aujourd'hui) les ont systématiquement coupées. Balzac était conscient de cet écueil, et de son vivant, certains critiques lui ont déjà reproché la longueur de ses descriptions. Il lui arrive de s'en excuser: «Le tourniquet Saint-Jean, dont la description parut fastidieuse...» écrit-il au début des *Petits bourgeois;* du moins la circulation qui s'établit entre ses romans permet-elle de ne pas lasser une nouvelle fois le lecteur et de le renvoyer à *Une double famille* s'il souhaite plus de détails. Qui pourtant ne voit aujourd'hui que les descriptions font partie intégrante des romans de Balzac? Les sauter serait aussi absurde que de supprimer les *andante* des symphonies de Beethoven sous prétexte que le mouvement s'y trouve ralenti et la fin retardée.

Que dans la description le temps soit suspendu admet d'ailleurs des nuances: il arrive que la description soit le fait, non du narrateur, mais d'un personnage, qui évolue au fur et à mesure qu'il découvre un paysage, par exemple. Ainsi, au début des *Chouans,* découvrons-nous les environs de Fougères par l'œil des officiers républicains: aussi la longue description de la vallée du Couesnon n'est-elle pas sentie comme un cours de géographie, mais comme une entrée sur un théâtre d'opérations qui nous situe d'emblée au cœur de l'action. Il arrive aussi que l'objet même de la description soit mouvant, ou qu'il s'inscrive lui-même dans une durée: ainsi le colonel Chabert, d'abord ridicule, puis inquiétant, terrifiant enfin lorsqu'il découvre la cicatrice qui le défigure, révèle-t-il en même temps que sa physionomie l'étonnement de Derville, l'avoué auquel il s'est adressé, et les états d'âme par lesquels passe celui-ci. Pour l'essentiel cependant, il faut le reconnaître, les descriptions balzaciennes sont statiques. De surcroît, elles s'étendent fréquemment au début du roman, donnant au lecteur la tentation d'arriver plus vite à ce qu'il considère comme l'«essentiel». Comment se justifient pourtant ces descriptions?

• *Description des lieux*

«L'architecture est l'expression des mœurs», lit-on dans *La fausse maîtresse.* Décrire une ville, c'est déjà amorcer l'histoire qui s'y déroule. On ne s'étonnera pas que *Béatrix* s'ouvre par une description de la petite ville de Guérande: on y retrouve «le plus correctement la physionomie des siècles féodaux»; or, c'est de cette vieille noblesse qu'est imprégné le roman. Une maison, celle des du Guaisnic, en donnera une idée plus précise: «Une maison qui est dans la ville ce que la ville est dans le pays, une image exacte du passé...» *(Béatrix).* Le souci de faire avancer l'histoire oblige parfois Balzac à composer: «Pour expliquer combien ce mobilier est vieux (...) il faudrait en faire une description qui retarderait trop l'intérêt de l'histoire» *(Le père Goriot).* Mais n'est-ce pas en décrivant qu'on fait vraiment avancer une histoire et qu'on en dévoile les dessous? La richesse de la famille de Balthazar Claës, dans *La recherche de l'Absolu,* est figurée par l'énumération de ses appartements, de son mobilier et de ses tableaux; en retirant une à une ces pièces de musée du décor de l'intrigue, le romancier nous donne à voir la décadence de la maison. C'est en effet le privilège du romancier que de saisir et d'interpréter les drames au travers des signes visibles qu'ils présentent. Derrière les façades de la rue Neuve-Sainte-Geneviève *(Le père Goriot),* le passant ne soupçonnerait pas que se nouent d'extraordinaires intrigues; en décrivant ces façades, et notamment celle de la pension Vauquer, Balzac apprend au lecteur à voir et à comprendre le monde dans lequel il vit.

Décrire un cadre, c'est expliquer qui y vit. «Toute sa personne explique la pension, comme la pension implique sa personne», lit-on de Madame Vauquer dans *Le père Goriot.* Décrire le portail de Bénassis *(Le médecin de campagne)* c'est déjà donner une idée de son propriétaire. Le procédé est poussé à son comble dans *La vieille fille,* où Mademoiselle Cormon est décrite par sa seule demeure! Dans presque tous les cas, il apparaît indispensable que la description des lieux précède celle des gens. «Vous connaissez la cage, voici l'oiseau», écrit Balzac dans *Modeste Mignon.* De ce parti pris, certaines analyses sociologiques ont pu rendre compte. Au XIXe siècle, nous sommes dans une civilisation où les valeurs se sont dégradées au point que les hommes n'attachent plus d'importance qu'à ce qui renvoie aux anciennes valeurs. Les aristocrates, désœuvrés, sont réduits à se confiner dans leurs vieilles demeures et à contempler les signes de leur grandeur déchue. Décrire, c'est alors coïncider avec un monde d'oisifs. Pour les nobles du Moyen Age, l'espace qui les entourait était celui de la conquête; à l'époque de Balzac, il est celui du retour sur soi; dépouillés de toute fonction sociale, les nobles ne peuvent que ressusciter par des lieux et des objets une époque révolue; à la limite, la description traduira leur hébétude. Du moins, pensera-t-on, la classe qui a pris la relève, la bourgeoisie, va-t-elle occuper le terrain? Oui, mais outre que la bourgeoisie tente de légitimer sa jeune puissance en singeant les maîtres déchus, sa suprématie ne repose pas sur une supériorité authentique (celle de la force physique ou de l'intelligence rayonnantes), mais sur les signes de la puissance. Le monde du capitalisme naissant est celui des objets, et de plus en plus, l'homme va se définir par son avoir plutôt que par son être. Décrire un domicile, un mobilier, un domaine, ce n'est plus dans l'ère où vit Balzac décrire des ornements extérieurs à la personnalité: c'est décrire les symboles où cette personnalité s'inscrit tout entière. Cet attachement aux choses peut dans certains cas faire l'effet d'un véritable fétichisme. La déchéance morale et sociale de l'abbé Birotteau, dans *Le curé de Tours,* est inscrite dans le changement de domicile auquel il est contraint: en perdant son mobilier et surtout sa belle bibliothèque, l'abbé Birotteau se sent ruiné non seulement matériellement mais moralement, et Balzac donne ainsi au lecteur les signes concrets de sa disgrâce.

• *Description des personnes: la physiognomonie*

Décrivant des lieux, et particulièrement des maisons, Balzac emploie fréquemment le mot de «physionomie»: «La physionomie d'un logis installé à Saumur...» lit-on dans *Eugénie Grandet* à propos de la demeure du père Grandet; même expression dans *La recherche de l'Absolu* à propos de celle de Balthazar Claës. C'est dire que Balzac traite des lieux et des personnes comme de signes de reconnaissance, et si décrire une maison ou un mobilier est une manière de refléter les mœurs qui y ont cours, à plus forte raison la description des protagonistes de l'action permet-elle d'entrer, mieux qu'on ne pourrait le supposer, dans le vif du sujet.

Ayant à choisir, pour connaître enfin les joies de l'amour et du mariage, entre un jeune homme ambitieux, un vieil aristocrate et un riche négociant dans la force de l'âge, Mademoiselle Cormon *(La vieille fille)* préfère le dernier. Mal lui en prend: ce négociant a épuisé ses forces dans les plaisirs de sa jeunesse et Mademoiselle Cormon demeurera fille. Elle ne doit s'en prendre qu'à elle-même: un meilleur discernement lui aurait permis de reconnaître dans la calvitie de son prétendant le signe d'une virilité fragile. A l'inverse, le nez du vieux chevalier de Valois indiquait une belle propension à la volupté. C'est que Balzac croit aux théories élaborées à partir de 1772 par le philosophe suisse Lavater et regroupées sous le nom de *physiognomonie* (théories reconnues sans valeur aujourd'hui), en vertu desquelles il serait possible de connaître les dispositions intellectuelles et morales de quelqu'un d'après sa physionomie. Il se réfère aussi à Gall, médecin allemand, inventeur de la *phrénologie,* qui aboutit aux mêmes conclusions d'après l'étude de la forme des crânes. «Les gens d'esprit, les diplomates, les femmes qui sont les rares et fervents disciples de ces deux hommes célèbres ont souvent eu l'occasion de reconnaître bien d'autres signes évidents auxquels on reconnaît la pensée humaine; les habitudes du corps, l'écriture, le son de la voix, les manières, etc.» *(Physiologie du mariage).* Ainsi reconnaît-on le génie d'Albert Savarus à son «front magnifique séparé par ce sillon puissant que les grands projets, les grandes pensées, les fortes méditations inscrivent au front des grands hommes». Sa croyance à la physiognomonie explique que reviennent dans les descriptions physiques de Balzac tels détails qui paraîtraient autrement futiles ou ridicules: ainsi l'importance accordée aux mollets des personnages; si le père Grandet a des mollets «de douze pouces de circonférence», c'est un indice de sa vigueur; de même le mollet du père Goriot pronostique-t-il «des qualités morales», malheureusement gaspillées; à l'inverse, dans *La muse du département,* on plaindra l'épouse de M. de la Baudraye quand on saura que celui-ci porte des faux mollets «qui lui reviennent sur les tibias». Descendons aux extrémités inférieures de l'anatomie et de l'échelle sociale: Florine, actrice entretenue, «avait le pied gros et court, signe indélébile de naissance obscure». De Gall plus précisément, Balzac a appris à classer les visages humains suivant leur ressemblance avec tel ou tel animal. «Quant à sa figure, écrit-il de Z. Marcas, elle sera comprise par un mot. Selon un système assez populaire, chaque face humaine a de la ressemblance avec un animal. L'animal de Marcas était le lion.» Celui de Balthazar Claës est le cheval. Les gens de justice (Petit-Claud, Fraisier) sont volontiers assimilés à des vipères. Grandet tient du tigre et du boa, et ainsi de suite.

Il faut donc prendre au pied de la lettre l'expression de Balzac suivant laquelle l'épouse de Grandet était «tout âme»: c'est que son âme transparaît sur son visage. «Un imbécile, écrit-il dans *Le cousin Pons,* ne se reconnaît-il pas immédiatement par des impressions contraires à celles que produit l'homme de génie?» «Les personnages de Balzac, conclut G. Lukacs dans *Balzac et le réalisme français,* n'ont jamais, du point de vue littéraire, de traits fortuits car ils ne possèdent aucune particularité même très extérieure qui n'ait une importance décisive à quelque moment du déroulement de l'action.» Quand Lukacs parle de «particularité même très extérieure», l'expression peut être poussée très loin, puisque non seulement Balzac mise sur des caractéristiques physiques, mais aussi sur les signes de la toilette. Il avait écrit dans sa jeunesse un *Code de la toilette* dont on peut retrouver les éléments diffus dans la *Comédie humaine.* Pour lui, comme pour les «dandies» de son époque, l'habit fait le moine. Décrire la mise d'un personnage, ce n'est pas sacrifier à des futilités; en se mettant à la mode parisienne, Lucien de Rubempré, dans *Illusions perdues,* entreprend véritablement de changer de personnalité. Dans le même roman, montrer l'écart qui sépare la toilette démodée de Madame de Bargeton de celle des élégantes parisiennes, c'est faire figurer dans une description les signes qui mesurent les différences entre Paris et la province.

• *Le goût des portraits*

En plus d'un cas pourtant, il semble que le goût de la description physique entraîne Balzac au-delà de ce qu'exigeraient une physiognomonie et une phrénologie bien comprises. On en trouvera un exemple dans la description de Camille Maupin qui, dans *Béatrix,* figure trop visiblement George Sand; cette description occupe plus de deux pages et l'on y apprend entre autres détails que, chez cette femme de lettres, «le blanc de l'œil n'est ni bleuâtre, ni semé de fils rouges, ni d'un blanc pur; il a la consistance de la corne, mais il est d'un ton chaud»; «les paupières sont brunes et semées de fibrilles rouges qui leur donnent à la fois de la grâce et de la force»; quant au nez, il est «coupé de narines obliques assez passionnément dilatées pour laisser voir le rose lumineux de leur délicate doublure». On a ici affaire à un cas limite, qui frise le ridicule. Mais la belle description de Madame de Mortsauf, dans *Le lys dans la vallée,* renferme certains détails à peine moins surprenants; ainsi est-elle présentée avec «un nez grec, comme dessiné par Phidias et réuni par un double arc à des lèvres élégamment sinueuses».

L'apparition de cette figure, l'une des plus belles de la *Comédie humaine,* permet justement de caractériser assez bien le mode de présentation des personnages dans les romans de Balzac. De Julien Sorel, Stendhal nous donne à voir la sveltesse, la pâleur et les grands yeux noirs dans un joli visage; nullement soucieux de rivaliser avec un peintre, le narrateur indique quelques traits significatifs. Flaubert ira plus loin dans cette voie en rendant l'apparition de ses principaux personnages tributaire d'un regard: ainsi Emma Bovary est-elle réduite aux signes d'élégance qui éblouissent la rusticité de Charles tandis que Madame Arnoux est transformée en madone par la vision niaisement romantique de Frédéric; la séduction d'Emma était à la rigueur attestée par ses nombreuses conquêtes, mais dans *L'éducation sentimentale,* rien ne vient justifier l'admiration de Frédéric. Narrateur omniscient et méticuleux, Balzac ne laisse subsister aucune ambiguïté; une fois achevée la description de Madame de Mortsauf, nous savons que Félix de Vandenesse la trouve belle parce qu'elle est belle. Du moins, dans *Le lys dans la vallée* (roman à la première personne), cette description a-t-elle été précédée par l'éblouissement de Félix devant les belles épaules de Madame de Mortsauf; la genèse de son amour est ainsi retracée de l'intérieur et la longue description que s'autorise ensuite le narrateur vient seulement corroborer un émoi vécu au travers d'une âme et d'une sensualité. Pour cette raison parmi d'autres, *Le lys* apparaît aujourd'hui comme l'un des romans les plus modernes et les plus attachants de la *Comédie humaine.*

• *Rôle de la description*

La description des lieux aussi bien que des personnes a donc chez Balzac valeur d'investigation. «Chez moi, lit-on dans *Facino Cane,* l'observation était devenue intuition, elle pénétrait l'âme sans négliger le corps; ou plutôt, elle saisissait si bien les détails extérieurs, qu'elle allait sur-le-champ au-delà.» Chez Balzac, l'extérieur et l'intérieur, la matière et l'esprit, le corps et l'âme forment un tout. Décrire, c'est dans ces conditions révéler la face visible du monde, mais pour mieux en faire comprendre et sentir la réalité profonde.

La description a un autre rôle. On a souvent dit de Balzac, non sans abus, qu'il avait créé des types humains. Or, du moment où un personnage représente à nos yeux une catégorie plutôt que lui-même et acquiert une existence générale plutôt qu'individuelle, nous cessons de croire à sa réalité au profit de l'idée qu'il incarne. Harpagon représente si bien l'Avare qu'on dit «un Harpagon», et le personnage de Molière trouve sa profondeur moins dans l'illusion de réalité qu'il procure que dans la vérité universelle qu'il découvre. Le phénomène est moins accusé chez Balzac, parce que Balzac est romancier et qu'il peut donc, plus finement qu'on ne le fait au théâtre, individualiser un personnage en le décrivant physiquement, en le situant dans son mobilier et sa maison. La figure d'avare proposée par Balzac n'est pas moins saisissante que celle de Molière; mais si nous disons plus volontiers «un Harpagon» qu'«un Grandet», c'est parce que le personnage de Balzac est dans notre esprit lié à certaines caractéristiques physiques, qu'il est localisé à Saumur, dans telle maison que nous avons l'impression de bien connaître, etc. Tout en mettant en valeur la portée générale des personnages créés par Balzac, Ramon Fernandez écrit: «La description a pour fin de donner une apparence de vie individuelle à ces types généraux.»

• *Conclusions sur la description balzacienne*

Décrire, c'est s'efforcer, par les mots, de refléter une réalité. Dans le cas du romancier, il s'agit souvent d'une feinte: on fait croire au lecteur que les moyens manquent pour rejoindre une réalité préexistante, alors que cette réalité n'existe que dans l'esprit du romancier; la description ne reflète pas, elle construit. Mais, plus généralement, quel rapport peut-on instituer entre une réalité tangible (le référent) et un texte littéraire? A supposer même que l'écrivain s'inspire d'un personnage ou de lieux existants, ce qu'il écrit est d'un autre ordre; un texte peut signifier, en aucun cas il ne reflète. Ces réflexions sommaires peuvent paraître inspirées par la critique moderne: on en trouverait peut-être la source chez Balzac. Lisons ce passage de *Massimilla Doni:* «Le prince aperçut un de ces personnages à qui personne ne veut croire dès qu'on les fait passer de l'état réel où nous les admirons, à l'état fantastique d'une description plus ou moins littéraire.» Balzac joue ici son rôle de romancier: il postule une réalité du prince extérieure à l'œuvre et la renforce en la supposant inaccessible par l'œuvre littéraire. Mais il souligne du même coup l'originalité irréductible d'une description, dont le *fantastique* (entendez: le pouvoir d'exciter la fantaisie, l'imagination) est d'une autre nature que celui que provoque le monde réel. Décrire, c'est donc aussi soumettre aux catégories du *littéraire* (différentes des catégories du réel). «Sans doute faut-il être romancier, écrit Jacques Laurent dans *Roman du roman,* pour sentir la nécessité où Balzac se trouvait de s'approprier le monde quotidien pour le transformer en monde balzacien.» Si, à un premier niveau, Balzac donne l'impression par ses descriptions de rivaliser avec le réel, on dira plus profondément que celles-ci lui permettent de créer un monde tributaire du style et des mots qu'il emploie. Évoquant un prince dans *Massimilla Doni,* il feint de se désoler de ne pouvoir approcher plus exactement la réalité: en fait, il est un créateur assez lucide pour savoir qu'il engendre ainsi une figure qui va jouer dans notre imagination suivant des lois propres à la littérature.

Si pourtant Balzac paraît à certains critiques moins moderne qu'il ne l'est en vérité, c'est surtout parce que ses descriptions, au lieu de s'imposer au récit, y coexistent avec la narration ou même avec la volonté démonstratrice avouée du romancier. C'est à quoi Jean Ricardou, par exemple, est sensible dans *Problèmes du nouveau roman.* Ainsi relève-t-il dans *Ursule Mirouët* ce passage qui a trait à Désiré Mirouët: «Une légère esquisse de ce garçon *prouvera combien Zélie fut flattée en le voyant.* L'étudiant portait des bottes fines, un pantalon blanc d'étoffe anglaise à sous-pieds en cuir verni, une riche cravate bien mise, etc.» La description suffirait à suggérer que Zélie, sa mère, a sujet d'être fière de lui; mais Balzac ne se contente pas de décrire: la description doit ici «prouver un sens préalable», nettement indiqué. Elle devient alors, suivant le mot de Ricardou, «illustrative». De tels passages donneraient à la rigueur raison aux lecteurs qui passent rapidement sur les descriptions puisque celles-ci ont fonction, non de révéler le sens, mais de le confirmer. L'analyse de Ricardou est intéressante. Elle devient plus discutable lorsqu'elle se mue en anathème. Faut-il reprocher à Balzac de n'avoir pas écrit des «nouveaux romans»? Son mérite est différent. On ne comprend pas grand-chose à la *Comédie humaine* si l'on sous-estime la vertu de «conteur d'histoires» de Balzac. A la manière de Schéhérazade dans les *Mille et une nuits,* il annonce les développements de l'intrigue, il les monte en épingle: son lecteur est si bien préparé à entendre des merveilles que les descriptions vont confirmer son admiration plutôt que la provoquer. A bien des égards, la *Comédie humaine* est plus proche des *Mille et une nuits* que du «nouveau roman»; ce n'est pas la vouer au bûcher que de le constater.

L'ACTION

Un roman, c'est une histoire inventée; traditionnellement, son premier mérite est de tenir le lecteur en haleine; sa longueur suppose qu'il faut parfois en abandonner la lecture, puis la reprendre: le rôle du romancier est de rendre l'intrigue suffisamment crédible et attrayante pour que l'intérêt ne retombe pas totalement pendant ces intervalles. On ne saurait pourtant réduire la substance d'un roman à son intrigue: s'il en était ainsi, on ne serait guère tenté de le relire. Dans le cas des romans de Balzac, nous y prenons intérêt alors même que la fin nous en est connue. En fait, nous allons voir que suivant les cas, Balzac, héritier du roman noir qu'il a lui-même pratiqué pendant sa jeunesse, ménage le suspens, ou vend la mèche, signifiant expressément que le mérite de son œuvre est ailleurs.

• *Les incertitudes de l'intrigue*

Certains romans de Balzac sont construits à la manière de romans policiers. Ainsi *Le père Goriot.* Plus précisément, Balzac présente son roman comme un drame ou une tragédie[1]. L'œil du narrateur est celui d'un observateur de la pension Vauquer; il y a pressenti des mystères, mais il ignore quels ils sont. Les raisons de l'étrange conduite du père Goriot ne sont que progressivement révélées; d'une certaine façon, les pensionnaires (Rastignac et Bianchon notamment) «mènent l'enquête». L'étonnante scène du vieillard tordant sa vaisselle de vermeil, aperçue par un trou de serrure, ne recevra son explication que plus tard. Si l'on n'a pas lu le roman, mieux vaut en ignorer la fin; si on le relit, le plaisir de la lecture se reportera sur le dévoilement progressif des indices par lesquels Balzac met son lecteur sur la voie. De même la course de vitesse engagée dans *La vieille fille* entre les trois prétendants de Mademoiselle Cormon gagne-t-elle à demeurer incertaine; par des indices physiognomoniques

1. Voir Guy Riegert, *Le père Goriot,* Hatier, «Profil d'une œuvre», p. 56.

(lisibles par quelques rares initiés), Balzac indique le bon choix: mais il ne nous laisse pas prévoir si son héroïne y inclinera, et c'est tant mieux.

Non seulement l'intrigue est souvent prenante, mais elle rebondit parfois à la faveur du retour des personnages d'un roman à l'autre. L'histoire de Jacques Collin, mieux connu sous son pseudonyme de Vautrin, est la plus spectaculaire. Évadé du bagne, Vautrin propose à Rastignac un pacte crapuleux qui échoue et il se fait arrêter *(Le père Goriot).* Il reparaît dans *Illusions perdues* sous d'autres traits et sous le nom de l'abbé Carlos Herrera pour offrir avenir et richesse à Lucien de Rubempré qui était au bord du désespoir. Dans *Splendeurs et misères des courtisanes,* il dirige la carrière de Lucien; mais en mourant empoisonnée, Esther, la maîtresse de Lucien, va déclencher une enquête qui aboutira à l'arrestation et au suicide de Lucien. Carlos Herrera, alias Jacques Collin, alias Vautrin, alias Trompe-la-Mort (William Barker à l'occasion), tirera pourtant son épingle du jeu, trouvera une place dans la police comme adjoint de Bibi-Lupin (qui l'avait arrêté dans *Le père Goriot)* et finira chef de la police de sûreté. Caricature d'histoire exemplaire (Vautrin finit par «se ranger»!) qui vaut bien *Les Mystères de Paris* d'Eugène Sue, ou plutôt les aventures de Rocambole, le héros de Ponson du Terrail, auquel Zola comparait du reste à regret le héros de Balzac. Pourtant, outre qu'on aurait peut-être tort de bouder son plaisir, il faut bien convenir que nous avons, pour les commodités de la démonstration, isolé les principaux épisodes de la «geste» de Vautrin d'une texture romanesque serrée et multiple, propre à décourager le lecteur qui voudrait lire ces aventures comme un feuilleton. Balzac ici veut moins divertir (même s'il ne le dédaigne pas) que donner au travers des métamorphoses de Vautrin une idée des forces de renouvellement de l'individu et des possibilités qu'offre la scène sociale à qui a l'énergie de les saisir. Les imprévus de l'intrigue sont la face attrayante des imprévus du jaillissement de la vie.

• *Les dénouements annoncés*

Il arrive qu'à l'opposé, Balzac laisse d'avance prévoir au lecteur comment se terminera le roman. «Ici commence le drame, ou, si vous voulez, la comédie terrible de la mort d'un célibataire...» lisons-nous à la moitié à peine du *Cousin Pons.* Et au tout début du *Cabinet des antiques:* «Mademoiselle d'Esgrignon est une des figures les plus instructives de cette histoire: elle vous apprendra ce que, faute d'intelligence, les vertus les plus pures peuvent avoir de nuisible.» Le ton de Balzac, en ces occasions, est presque celui d'un conteur populaire («Écoutez, bonnes gens, la triste histoire...») qui voudrait avant tout illustrer une morale donnée d'avance. Cette morale sera d'autant mieux comprise et acceptée qu'il n'y a aucun doute possible sur l'issue de l'histoire qui aide à la démontrer.

Sans pousser l'artifice aussi loin, Balzac, dans d'autres romans, livre au lecteur des indices qui ruinent l'incertitude du dénouement. «Elle usait ses dernières forces», nous dit-on dans *Pierrette* au sujet de l'héroïne; on sait désormais que l'issue sera fatale. «Tant de magnificences... que les Douaisiens admirèrent pour la dernière fois»: dans *La recherche de l'Absolu,* la ruine de la famille Claës est ici indiquée par un narrateur indiscret avant même d'être consommée. Si d'autre part on admet l'intuition comme une vertu féminine, on accordera crédit à l'observation que fait dès le début du roman Madame Birotteau à César, son mari: «Les grandeurs seraient ta perte.» En un sens, le titre même de l'œuvre *(Histoire de la grandeur et de la décadence de César Birotteau)* vendait la mèche. Peut-être aussi, à sa façon, le titre de *La recherche de l'Absolu.* Au début d'*Illusions perdues,* David Séchard a d'«horribles pressentiments sur la destinée de Lucien à Paris»; mais cette fois encore, il suffit du titre pour confirmer d'avance ces pressentiments.

Si *Le père Goriot* s'apparente à la tragédie, c'est que sa trajectoire en est implacable et, après coup au moins, c'est une véritable fatalité qui paraît entraîner Goriot à sa perte. Cette trajectoire contre laquelle le libre arbitre humain ne peut rien, d'autres romans la figurent mieux encore, notamment *La peau de chagrin.* Du moment où elle symbolise la vie humaine, la mystérieuse peau donnée à Raphaël par l'antiquaire ne peut fatalement aller que vers sa disparition totale, et les efforts de Raphaël pour retarder l'échéance, s'ils sont vécus comme autant d'épisodes dramatiques par le lecteur, ne sauraient évidemment retourner l'issue du roman. L'énergie ou la soif du plaisir dévoreuses de la vie: accepté comme un des principaux leitmotive de la *Comédie humaine,* ce thème, s'il ne ruine pas l'intérêt des intrigues, en fixe fatalement le dénouement.

• *Digressions, retours en arrière*

La manière la plus simple de tenir en haleine le lecteur d'un roman paraît évidemment de le faire coïncider avec l'action en lui donnant l'illusion que le temps dans lequel il se trouve est le même que celui qui s'écoule pour les personnages. Dans cette perspective, toute description qui ne s'intégrera pas étroitement à l'action, mais à plus forte raison les retours en arrière, les digressions de caractère moral ou philosophique seront ressentis comme parasitaires. Balzac ne s'en prive pourtant pas.

«Il est impossible de comprendre la valeur de cette expression provinciale sans donner la biographie de Monsieur Grandet»: c'est l'expression «la maison à Monsieur Grandet» qui sert de prétexte à un long retour en arrière sur la vie du personnage. Du moins sommes-nous au début du roman et l'action n'est-elle pas vraiment lancée. De même dans *César Birotteau:* «Un coup d'œil rapidement jeté sur la vie antérieure de ce ménage...» ne brise-t-il pas une intrigue à peine amorcée, ni les longues considérations sur le faubourg Saint-Germain placées en tête de *La duchesse de Langeais.* Mais que dire de *Pierrette* où nous est imposé un retour au point de départ alors que nous sommes à plus de la moitié du roman et que nous pensions nous hâter vers son dénouement? Ces ruptures temporelles ont valeur d'explication. Le cinéma, plus soucieux encore que le roman de soutenir l'attention du spectateur et de favoriser son identification aux héros, y a lui-même recours; on parle alors de «flashback», et si fort est le pouvoir de l'audio-visuel qu'on applique souvent la même expression à des procédés de roman qui n'avaient pas attendu le cinéma pour voir le jour!

Si ces retours en arrière servent en définitive l'intrigue, on n'en dira pas autant de digressions d'une autre nature, qui introduisent au cœur de l'action le commentaire du romancier ou du narrateur[1]. Le «coup d'œil» sur la vie antérieure du couple Birotteau est indispensable pour comprendre la suite: mais en dira-t-on autant du développement sur la peur, qui déçoit notre impatience au moment où nous ignorons encore ce qui motive celle de Madame Birotteau? A la rigueur cette intervention peut-elle se justifier dramatiquement: en retardant l'explication, Balzac augmente le suspens. Mais on ne saurait donner pareilles motivations aux digressions sur les ruines («Pourquoi les hommes ne regardent-ils point sans une émotion profonde toutes les ruines...») ou sur la religion («Admirable religion!») contenues dans les premières pages du *Médecin de campagne,* ou sur l'orgue («le plus grand, le plus audacieux, le plus magnifique de tous les instruments créés par le génie humain») au début de *La duchesse de Langeais.* Si de tels développements ne sont parfois qu'une utile précaution pour mettre plus sûrement la machine en route («Ce préambule était nécessaire pour déterminer la sphère dans laquelle s'est passée une de ces actions sublimes...», *La fausse maîtresse),* souvent aussi ils paraissent témoigner du souci tout relatif de Balzac pour l'intérêt dramatique de ses romans.

• *Conclusions sur l'action balzacienne*

Balzac ne dédaignait certes pas de gagner des lecteurs par des procédés que n'auraient pas reniés des feuilletonistes (ses soucis d'argent l'ont toujours empêché de concevoir son œuvre pour des «happy few», à supposer qu'il en eût vraiment le désir); d'autre part, sa conception même de la vie (potentiel que ruine

1. Le «romancier» n'apparaît pas à l'intérieur de l'œuvre; il est l'homme dont le nom figure sur la couverture du livre. S'il intervient (pour commenter l'action par exemple), il le fait en tant que «narrateur». Dans ce cas, les deux termes désignent les deux aspects d'une même réalité. Mais il peut aussi se produire que le romancier introduise dans son œuvre un «narrateur», qui est censé conter l'histoire, mais auquel on ne saurait l'identifier; ce narrateur peut même être un personnage du roman: ainsi dans *A la recherche du temps perdu* ou *L'étranger,* d'A. Camus.

progressivement une dépense d'énergie) suffisait à procurer une dynamique à ses romans. Pourtant, il était retenu par l'ambition philosophique qui sous-tend la *Comédie humaine* de mettre bout à bout des aventures qui n'auraient retenu l'attention que par l'incertitude de leurs dénouements.

Parfois, on a l'impression que l'inspiration profonde du romancier et du philosophe trahit l'ambition vulgaire du feuilletoniste. Ainsi, dans *Histoire des Treize,* la préface allèche-t-elle le lecteur: à défaut d'écrire «des drames dégouttant de sang, des comédies pleines de terreurs, des romans où roulent des têtes secrètement coupées», Balzac va lui présenter une histoire «qui peut-être aura l'honneur d'être mise un jour en pendant de celle des flibustiers»; et sans transformer son récit «en une espèce de joujou à surprise», ce sont bien des aventures peu ordinaires qu'il nous promet. Or, qui se fierait à ce programme serait déçu. Dans chacun des trois récits qui composent l'*Histoire des Treize,* Balzac se laisse finalement aller à sa pente, plus sérieuse et philosophique que légère ou dramatique. Du reste, si deux d'entre eux ménagent l'incertitude du dénouement (*La fille aux yeux d'or* réserve même dans ses dernières pages une extraordinaire surprise!), *La duchesse de Langeais,* commençant si l'on peut dire par la fin, a de quoi décevoir un amateur de feuilletons.

Ramon Fernandez (*Messages,* N.R.F.) a réduit à quatre principes les facteurs de l'évolution du récit chez Balzac. L'un des plus fréquents est la coïncidence de l'intrigue avec une action juridique (procès d'interdiction dans *L'interdiction,* faillite dans *César Birotteau...*); il suffit alors au romancier de calquer les phases de son récit sur le développement d'une mécanique dont la Société et la Justice lui fournissaient le moteur. Un second vient d'une «série de combinaisons intellectuelles communément appelées intrigue»; les personnages deviennent dans ce cas de simples éléments de combinaison, mais comme ils sont déterminés en bloc dès le début du livre, la mise en œuvre de l'intrigue risque de manquer d'imprévu et de décevoir (ainsi, commente R. Fernandez, *La recherche de l'Absolu* «nous fait l'effet d'un torse de Dieu terminé par des jambes d'enfant»). Le troisième principe est la déduction d'un «cas» psychologique; mais dans ces récits (*Une fille d'Ève, Mémoires de deux jeunes mariées...*), «l'accent porte sur l'analyse abstraite, conçue et traitée à l'écart de l'action et avant elle», et «cette action n'y joue qu'un rôle de complément». Le quatrième principe enfin consiste dans l'évolution d'une passion; soumise à la fatalité, celle-ci ne réserve pas de véritable surprise; les actions du personnage aussi bien que ses paroles illustrent son trajet, elles ne sauraient en rectifier le cours; à ce principe obéissent les romans qu'on a coutume de considérer comme les chefs-d'œuvre de Balzac *(Le Père Goriot, Eugénie Grandet, La cousine Bette...),* soit que l'on fixe inconsciemment des normes au génie balzacien (de même a-t-on coutume d'appeler «grandes tragédies de Corneille» celles qui se conforment à l'idée que l'on se fait de Corneille...), soit que dans ces œuvres s'accomplisse effectivement la fusion entre une intuition fondamentale (la passion unique et dévorante) et les nécessités de l'intrigue. Cette analyse permet en tout cas de souscrire au jugement de Sainte-Beuve qui écrivait dans les *Causeries du lundi:* «Après les caractères vient l'action: elle faiblit souvent chez M. de Balzac, elle dévie, elle s'exagère. Il y réussit moins que dans la formation des personnages.» Peut-être n'y réussit-il qu'au travers de ses personnages.

LES PERSONNAGES

Si l'on admet qu'en écrivant la *Comédie humaine,* l'intention de Balzac était, suivant la formule fameuse, de «faire concurrence à l'état civil», nous voici au cœur du sujet. A le prendre par son aspect le plus modeste, mais aussi le plus universel, le roman propose d'abord au lecteur une identification avec un héros. Cette prédisposition du roman est si forte que dans l'histoire de la littérature, les noms des grands romanciers qui ont précédé Balzac s'effacent presque derrière les grandes figures auxquelles ils ont donné naissance; Madame de La Fayette est moins connue que la princesse de Clèves, Lesage que Gil Blas et l'abbé Prévost que Manon Lescaut. L'originalité de Balzac par rapport à ses devanciers ne saurait être séparée du développement que connaît le genre romanesque au XIXe siècle et des lettres de noblesse qu'il y conquiert. Le roman a d'abord été la «geste» (en prose) d'un personnage hors du commun (qu'il fût Perceval ou don Quichotte). Mais, au XIXe siècle, le temps des exploits individuels est révolu; s'intéresser aux phénomènes de l'histoire contemporaine, c'est moins mettre un héros en vedette que démonter les rouages compliqués d'une société en mutation qui cherche ses nouvelles valeurs. Représenter pour ses lecteurs le spectacle du monde, c'était naturellement pour Balzac leur donner idée du foisonnement des conditions sociales, des sentiments, des ambitions qui agitent une époque instable; leur donner l'illusion de la vie, c'était non les faire coïncider avec un être d'exception qui aurait combattu de vrais ennemis ou des moulins à vent, mais les confronter avec cette multitude d'individus qui empêchait, par ses tensions diverses et contradictoires, que se dessine nettement une société idéale. La multiplicité des œuvres qui composent la *Comédie humaine* illustrait déjà le caractère composite et problématique de la société où vivait Balzac; son idée de génie fut d'établir une circulation entre ses romans en imaginant le retour des personnages.

• *Le retour des personnages*

C'est avec *Le père Goriot* (1834-1835) que Balzac inaugure cette technique nouvelle dont il eut, semble-t-il, l'idée dès 1833[1]. Précisons tout de suite que l'ordre de composition des romans ne suit nullement la chronologie de la vie des personnages. Ainsi Madame de Beauséant, abandonnée par son amant le marquis d'Ajuda-Pinto dans *Le père Goriot,* se réfugie-t-elle dans sa propriété aux environs de Bayeux, où on la découvre grâce à *La femme abandonnée* (composée par Balzac deux ans avant *Le père Goriot).* C'est dire que Balzac, imaginant un personnage à telle époque de sa vie, imagine *postérieurement* une époque précédente. De ce «défaut sans remède», il se confesse dans la préface d'*Une fille d'Ève:* «Vous trouverez par exemple l'actrice Florine peinte au milieu de sa vie dans *Une fille d'Ève,* Scène de

1. Voir Guy Riegert, *Le père Goriot,* op. cit., p. 51 et suivantes.

la Vie privée, et vous la verrez à son début dans *Illusions perdues.* ici l'énorme figure de De Marsay se produit en premier ministre, et dans *Le Contrat de mariage* il est à ses commencements (...). Dans *Une fille d'Ève* se rencontrent des personnages comme Félix de Vandenesse et lady Dudley, dont la situation serait éminemment dramatique et remplie de comique social si leur histoire était connue, et vous ne la lirez que dans la dernière partie de l'œuvre, dans *Le lys dans la vallée,* qui appartient aux *Scènes de la vie de campagne.* Enfin vous aurez le milieu d'une vie avant son commencement, le commencement après sa fin, l'histoire de la mort avant celle de la naissance.» De ce «défaut», pourtant, Balzac fournit une justification: «Il en est ainsi dans le monde social. Vous rencontrez au milieu d'un salon un homme que vous avez perdu de vue depuis dix ans (...). Il n'y a rien qui soit d'un seul bloc dans ce monde; tout y est mosaïque.»

Michel Butor voit dans le «retour des personnages» un principe d'économie. Balzac a eu à résoudre le problème suivant: «Comment rendre intéressant le drame à trois ou quatre mille personnages que présente une société?» La société comportant plus de trois ou quatre mille personnages, et le romancier se trouvant dans l'impossibilité d'en étudier seulement mille qui soient représentatifs, ce système va lui permettre, pour décrire tel individu, de renvoyer à une autre œuvre où il a été présenté en détail. Pour peu que cet individu soit représentatif d'une classe sociale ou d'une profession, l'œuvre de référence enrichit de ses analyses celle qui y renvoie (de la même manière qu'une description d'un lieu, nous l'avons vu, dispense le narrateur de la recommencer dans une œuvre ultérieure). Toutefois, l'argument de Butor met l'accent sur le caractère typique des personnages de Balzac plutôt que sur leur individualité; en se reportant à un autre roman pour mieux connaître Vautrin ou Rastignac, c'est en somme le portrait du forçat ou de l'arriviste qu'on approfondirait. Or, le rêve de Balzac est de donner l'illusion d'une galeries de personnages vivants, et leur retour, plutôt que de simplifier leur caractère, permet peut-être d'en multiplier les nuances et de leur insuffler ainsi plus de vie.

Aussi l'analyse de M. Butor est-elle plus convaincante lorsqu'elle met l'accent sur le rapport que ce retour des personnages institue entre le roman et la réalité. Il nous paraît, quant à nous, que le meilleur résultat obtenu par Balzac grâce à ce système est de permettre la survie des personnages dans notre imagination. Un roman sollicite en effet notre crédulité pendant le temps qu'il nous faut pour le lire; une fois le livre terminé, sauf à être d'une disposition d'esprit fort romanesque (c'est-à-dire à confondre la vie réelle et les romans), les héros quittent la scène de notre imaginaire pour enrichir notre galerie de personnages, ils se retranchent de notre durée vécue pour accéder à l'éternité littéraire. Dans la *Comédie humaine* au contraire, leur réapparition d'un roman à un autre confère l'illusion de la réalité à l'intervalle qui sépare les deux romans; leur «vie» n'est pas annulée, elle est comme pour un temps soustraite à nos regards. Ainsi, au théâtre, la disparition provisoire d'un personnage en coulisse laisse-t-elle à penser, non que l'acteur est parti se désaltérer, mais que le héros auquel nous croyons continue de vivre à l'écart de la scène. La *Comédie humaine* se présente, non comme une somme de romans, mais comme une représentation totale de la société du XIXe siècle sur laquelle l'artiste ne peut ouvrir qu'un certain nombre de fenêtres, étant admis que la réalité n'est pas absente des zones invisibles.

- *Les analyses psychologiques*

La plupart des œuvres très connues de Balzac portent pour titre le nom d'un personnage souvent assorti d'une détermination familiale ou sociale *(Eugénie Grandet, Le père Goriot, La cousine Bette, Le colonel Chabert...).* Il arrive que le nom s'efface derrière cette détermination *(La fausse maîtresse, Le médecin de campagne, La femme de trente ans...).* Plus rarement, c'est une classe ou une catégorie qui annonce l'œuvre *(Les employés, Les paysans, Les Chouans...).* Les titres abstraits *(Illusions perdues, Une ténébreuse affaire...)* sont une minorité. Ce seul coup d'œil sur un index des œuvres qui composent la *Comédie humaine* laisserait pressentir le rôle joué par l'individu en même temps que l'importance donnée aux liens qu'il entretient avec le monde (familial, social, politique) qui l'entoure.

Certaines figures ont un caractère autobiographique marqué. En premier lieu Félix de Vandenesse dans *Le lys dans la vallée* (comme Balzac, il a souffert d'être un enfant mal aimé); mais aussi le Raphaël de *La peau de chagrin* ou Louis Lambert. Autant d'œuvres écrites avant 1835. Plus la *Comédie humaine* avancera, plus Balzac s'affranchira des souvenirs personnels, plus ses personnages seront autonomes (même s'il met encore de lui-même dans tel ou tel: ainsi son goût pour le bric-à-brac dans le cousin Pons ou ses opinions littéraires dans d'Arthez). Mais du même coup, ainsi que le fait observer par exemple R. Fernandez, la création des personnages devient une opération purement intellectuelle; elle repose sur des distinctions élaborées *a priori* en vertu de mécanismes psychologiques donnés. Ces mécanismes conduiront à des oppositions peut-être trop systématiques (le cousin Pons et la cousine Bette, Madame de l'Estorade et Clotilde de Granlieu dans *Mémoires de deux jeunes mariées...),* qui n'excluent du reste pas forcément la mise en œuvre de données personnelles: on a souvent dit que dans *Illusions perdues,* Balzac avait donné consistance à deux aspects opposés de sa personnalité, l'un figuré par l'austère et honnête David Séchard, l'autre par le frivole et séduisant Lucien de Rubempré. On ne compare pas moins, souvent, ses procédés à ceux des moralistes (La Bruyère par exemple) qui en créant des personnages cherchent surtout à illustrer une idée.

Cette conception du personnage justifie que le récit soit souvent coupé, comme nous l'avons indiqué, par des analyses psychologiques: ainsi une analyse du sentiment de peur, universellement valable, expliquera-t-elle par conséquent l'attitude de Madame Birotteau au début du roman. L'issue fatale de la tragédie venait de la volonté des dieux: celle des romans de Balzac viendra d'une analyse implacable de la passion et du déterminisme auquel elle condamne celui qui en est saisi. Le comportement des personnages pouvait n'être que trop déduit de leur physionomie, de leur toilette et jusque de leur nom: le romancier expliquera de surcroît les mécanismes psychologiques qui les conduisent à agir ainsi. Peu de motivations sont laissées dans l'ombre; ainsi, Lousteau témoigne-t-il d'un élan en apparence généreux envers Lucien dans *Illusions perdues,* Balzac démonte aussitôt le manège du journaliste: «Lousteau, lui voyant de la résolution, le racolait en espérant se l'attacher.» On multiplierait les exemples de la sorte.

Il est courant de lire qu'aujourd'hui, on n'écrit plus les romans comme au temps de Balzac. C'est à cet impérialisme de l'analyse psychologique qu'on fait principalement référence. «Dans un roman, a pu écrire Sartre, les meilleures analyses psychologiques sentent la mort.» On n'admet plus guère qu'un romancier rende compte comme s'il était Dieu le père des pensées secrètes de plusieurs personnages à la fois et qu'il prévoie leur évolution au nom de lois psychologiques données à l'avance. C'est au nom de la liberté que Sartre prenait parti contre le «roman psychologique»: liberté supposée du personnage, dont l'évolution peut bien n'être pas soumise à un déterminisme rigoureux; mais liberté surtout du romancier qui, en écrivant un roman, obéira aux hasards et peut-être aux obscurités de sa conscience plutôt qu'à un schéma abstrait et limpide. Ces réflexions ne condamnent évidemment pas Balzac: elles situent mieux son œuvre comme reflet d'une époque peu familière avec les notions d'inconscient et de comportement. Mais surtout, elles ne devraient pas aboutir à une grossière caricature du génie balzacien. Une fresque aussi vaste que la *Comédie humaine* comporte forcément des méandres, et Balzac s'y trouve, peut-être malgré lui, conduit à d'heureuses ambiguïtés. C'est le cas pour ces personnages de Félix de Vandenesse et de Lucien de Rubempré, dans lesquels il a mis de lui-même sans viser, il s'en faut, à la sympathie du lecteur; leur retour d'un roman à l'autre joue ici son rôle: bien loin de retrouver des figures figées, nous assistons de manière fragmentaire à leur dérive morale sans posséder tous les maillons de l'évolution qui autoriserait le jugement. Ainsi que l'expliquait Balzac lui-même, les choses se passent comme dans la vie; réduits à des mosaïques, et en dépit des efforts d'élucidation du narrateur, les êtres déconcertent. Rastignac lui-même, trop souvent réduit au type de l'«arriviste», mérite plus de nuances, et le «A nous deux maintenant!» qu'il lance à la capitale depuis les hauteurs du cimetière du Père-Lachaise ne saurait être interprété avec trop de transparence comme une pure manifestation de cynisme: ce jeune homme pauvre vient de payer de sa personne pour enterrer dignement le père Goriot, et il entre peut-être, dans son cri, autant de juste révolte que de basse ambition.

• *Individu et société*

«Les événements ne sont jamais absolus, leurs résultats dépendent entièrement des individus», lit-on dans *César Birotteau.* Cette phrase surprend un peu: il semblerait, à lire la *Comédie humaine,* que les individus fussent au contraire souvent broyés par la machine sociale, quand ils ne sont pas façonnés par elle. Mais ici encore, il faut nuancer.

L'analyse de Michel Zéraffa nous sera ici précieuse[1]. A ses yeux, ce sont surtout les personnages secondaires qui représentent un niveau social (Derville l'avoué, le juge Popinot ou le banquier Nucingen); les protagonistes, eux, sont moins représentatifs: Chabert, Pons ou Vautrin «nous révèlent les mouvements rigoureux d'un système dont ils ne sont pas les rouages». Mais, agissant sans tomber sous l'influence directe des mécanismes de la société, ces héros vont avoir des destinées diverses, soit que leur passion sera adaptée aux exigences de l'organisme social (dans ce cas ils triompheront: ainsi Vautrin ou Rastignac), soit qu'elle sera anachronique (et elle sera alors fatale: ainsi Goriot, Pons, Balthazar Claës...). Félix de Vandenesse, d'abord victime d'une passion anachronique (son amour sans espoir pour Madame de Mortsauf), se reprendra pour rejoindre le camp des vainqueurs. Ajoutons à l'analyse de Zéraffa que la société est assez impitoyable pour rendre inopérantes non seulement les passions les plus excessives (comme celle de Goriot), mais même celles qui relèvent du bon sens (ainsi le colonel Chabert, resurgissant alors qu'on le croyait mort au champ d'honneur et désireux de retrouver ses biens et sa femme légitime, est-il vaincu par les lenteurs de la Justice et l'égoïsme des hommes).

1. Voir M. Zéraffa, *Personne et personnage,* Klincksieck, 1969 et *Roman et société,* coll. «Sup», P.U.F., 1971.

«Si la pensée, ou la passion, qui comprend la pensée et le sentiment, est l'élément social, elle en est aussi l'élément destructeur. En ceci, la vie sociale ressemble à la vie humaine», écrit Balzac dans son *Avant-propos.* C'est évidemment nous inviter à considérer que l'individu obéit aux mêmes lois que la société, qu'il en est en quelque sorte la réduction. Du moins l'individu qui accepte pour lui-même les règles d'économie que doit se donner tout corps social: il s'intègre alors harmonieusement en jouant son rôle dans la «comédie humaine». Les êtres qui, à l'inverse, dépensent follement leur substance physique ou intellectuelle figurent fidèlement une société qui, victime de ses passions, courrait à sa ruine. Reflétant l'ordre économique de son époque (ordre conservateur dont Balzac souhaite la pérennité), la *Comédie humaine* appelle sur le devant de la scène soit des personnages qui canalisent leurs forces et symbolisent l'ordre social, soit des personnages qui ne le dérangent nullement mais donnent le spectacle (tragique ou grotesque) d'une énergie égarée. La Société demeure dans tous les cas gagnante. M. Zéraffa oppose aux personnages de Balzac, qui vivent des passions anachroniques dans une société qui impose la force de son évidence, ceux de Stendhal, qui vivent des passions *actuelles* dans une société anachronique. A prendre les intrigues à la lettre, le corps social triomphe des passions de Julien Sorel ou de Fabrice; mais l'élévation de pensée et de sentiment des héros de Stendhal discrédite les mécanismes politiques et sociaux qui les condamnent, et *Le rouge et le noir* ou *La chartreuse de Parme* sont en définitive porteurs d'espoir et de révolte. La *Comédie humaine,* au contraire, discrédite, ou du moins décourage, les tentatives d'un accomplissement individuel qui s'accomplirait en dehors des lois de la société.

• *Conclusions sur le personnage balzacien*

Si l'on voit souvent des types dans les acteurs de la *Comédie humaine,* Balzac en fournit lui-même le prétexte, en particulier dans son *Avant-propos.* Certaines formules (la comparaison entre l'Humanité et l'Animalité notamment) conduisent aisément à une caricature de l'œuvre pour peu qu'on les isole des nuances dont Balzac les entoure. Il est vrai qu'il parle de composer «des types par la réunion des traits de plusieurs caractères homogènes». Un peu plus loin, il n'hésite pas à écrire: «Les infortunes des *Birotteau,* le prêtre et le parfumeur, sont pour moi celles de l'humanité. *La Fosseuse (Médecin de campagne)* et *Madame Graslin (Curé de village)* sont presque toute la femme.» Mais on lit aussi dans ce même *Avant-propos* que «le hasard est le plus grand romancier du monde: pour être fécond, il n'y a qu'à l'étudier». C'est avouer explicitement que la *Comédie humaine* ne rend pas compte d'une réalité qui obéit à un strict déterminisme; implicitement, si l'on considère que la création littéraire, aussi consciente soit-elle, dépend elle-même du hasard, la formule de Balzac donne à penser qu'il a pu obéir à des inflexions qui ne sont pas toutes contenues dans son projet. Nous avons dit que le «retour des personnages», plutôt que de fixer des types de référence, aboutissait au contraire à nuancer les figures d'un roman à l'autre. Il semblerait qu'elles échappent à la longue à leur créateur. De ce sentiment, chaque roman pris isolément suffit à donner confirmation. Quand Balzac écrit dans *Splendeurs et misères des courtisanes,* lors de l'entrevue de Vautrin avec le procureur Grandville: «Ces deux hommes, le CRIME et la JUSTICE, se regardèrent», l'allégorie grandit le tableau en projetant derrière les deux individus des idées abstraites et éternelles, mais quel lecteur réduira la figure de Vautrin à la simple image du Crime? Ces simplifications valent pour des nouvelles: «Vous connaissez le Genre, voici l'Individu», lit-on dans *L'illustre Gaudissart;* et de fait, Gaudissart est un personnage limité aux traits spécifiques qu'on reconnaît ordinairement aux commis voyageurs. Mais l'ampleur d'un roman, multipliant les traits, donne aux individus une vie qui les fait déborder du cadre d'une classification. Si Balzac demeure un amateur de «physiologies», son génie de romancier le condamne à en trahir les vertus simplificatrices.

4 Aspects de la *Comédie humaine*

L'AMOUR

• *Les amoureux*

Balzac passe, beaucoup moins que Stendhal par exemple, pour un romancier de l'amour. Du moins l'amour est-il presque toujours lié chez lui à l'argent, au mariage, à l'ambition, et lorsque par hasard une passion paraît en mesure de balayer tout ce qui n'est pas elle, elle est condamnée à dépérir ou à tuer celui qui en est victime. Il faut décidément croire Stendhal qui ne reconnaissait guère aux Français de dispositions pour l'amour-passion et cherchait de préférence ses sources d'inspiration en Italie: observateur de la société française, Balzac se trouvait peut-être fatalement conduit à traiter de formes plus prosaïques de l'amour.

«Il y a une charmante scène d'amour (note Félicien Marceau), dans *La recherche de l'Absolu,* entre Marguerite Claës et Emmanuel de Solis. Ils rougissent, leurs mains s'effleurent mais, en même temps, ils parlent des moyens que leur donne le Code pour sauver la fortune des Claës.» N'exagérons pas: il existe de vrais amoureux dans la *Comédie humaine.* Les tendres confidences de Raphaël et Pauline dans *La peau de chagrin,* de Charles et Eugénie dans *Eugénie Grandet,* de Lucien et Coralie dans *Illusions perdues.* Ces duos d'amour ne sont pourtant pas, il faut l'avouer, les meilleures parties des romans de Balzac; le ton y devient facilement mièvre et, surtout, les discours des amoureux paraissent interchangeables: ce n'est pas dans l'expression de purs sentiments que les héros de Balzac révèlent leur personnalité profonde. La retraite de la vicomtesse de Beauséant, abandonnée par son amant le marquis d'Ajuda-Pinto (voir *Le père Goriot* et *La femme abandonnée),* dégage en revanche beaucoup de grandeur et d'émotion; il y a, dans cette situation romanesque, plus de vérité que dans bien des roucoulades. Mais il faut surtout faire une place à part au *Lys dans la vallée.* Dans ce roman, Balzac a mis beaucoup de lui-même. L'amour de Félix pour Henriette de Mortsauf, c'est un peu celui du jeune Balzac amoureux à vingt-trois ans de Laure de Berny, qui en avait presque le double. Laure, c'est, suivant l'expression d'André Maurois, «un ange descendu du ciel». Dans l'analyse des sentiments d'un jeune homme pour une femme plus âgée, qui tient lieu de mère et apporte enfin l'affection que la vraie mère n'avait pas su donner, Balzac met plus de lyrisme et probablement de confidence que dans des idylles plus traditionnelles. «J'aimais soudain sans rien savoir de l'amour», dit Félix, ou encore: «J'avais dans l'âme le goût et l'espérance de voluptés surhumaines.» *Le lys* contient en ces pages l'une des plus fines et des plus belles analyses de l'éveil de l'amour.

- *L'essence de l'amour*

Nous avons parlé de «vrais amoureux»: l'expression a-t-elle un sens chez Balzac? On sait que Stendhal distingue diverses sortes d'amours. On trouverait chemin faisant dans la *Comédie humaine* les éléments d'un traité aussi complexe que *De l'amour* de Stendhal: ainsi *La duchesse de Langeais* analyse-t-elle l'amour-vanité, qui grandit en fonction des obstacles qu'on lui oppose et donne envie de posséder sans être possédé; l'amour physique y a sa place, au point que dans *Le lys,* lady Dudley est présentée comme la «maîtresse du corps» tandis qu'Henriette est l'«épouse de l'âme», et la question est même posée dans *Le père Goriot* de savoir si l'amour n'est pas «que la reconnaissance du plaisir»; on peut qualifier de «passion» les sentiments de la vicomtesse de Beauséant pour son amant ou d'Esther pour Lucien. Mais on se tromperait en voulant dégager de ces composantes une idée de l'amour pur: aimer par vanité, c'est encore aimer. «Cet amour fut engendré par le calcul», lit-on de l'amour d'Athanase pour Mademoiselle Cormon dans *La vieille fille:* ce n'en est pas moins de l'amour. C'est qu'en réalité, «l'amour, cette immense débauche de la raison, ce mâle et sévère plaisir des grandes âmes, et le plaisir, cette vulgarité vendue sur la place, sont deux faces différentes d'un même fait» *(La cousine Bette).* Si *Le lys dans la vallée* transpose les sentiments qu'éprouva sans doute le jeune Balzac frustré de l'amour maternel, on trouverait dans d'autres œuvres plus tardives le reflet de la passion qui éclaira la dernière partie de sa vie pour Madame Hanska, passion qui contient toutes les ambiguïtés des analyses de l'amour. Balzac aime-t-il cette noble Polonaise pour sa fortune, pour son prestige? Faux problème: on ne saurait isoler chez l'être aimé ce qui lui vient de la société d'une hypothétique essence naturelle. De même ne saurait-on séparer l'amour des autres passions qui nous animent. L'amour n'existe que si la personnalité en est tout entière enrichie. Il n'y a pas chez Balzac conflit entre son amour et son ambition: «J'écris pour elle (entendez pour Madame Hanska), confie-t-il à Madame de Girardin, je veux la gloire pour elle, elle est tout: le public, l'avenir!» De cette conception de l'amour, *Albert Savarus* fournit la transposition littéraire: «Croire à une femme, faire d'elle sa religion humaine, le principe de sa vie, la lumière secrète de ses moindres pensées!... n'est-ce pas une seconde naissance?»

Moteur de notre personnalité, l'amour intéresse Balzac pour le potentiel d'énergie qu'il contient plutôt que pour les jugements moraux qu'il autorise. Il n'est dès lors pas étonnant de découvrir dans la *Comédie humaine* toutes sortes d'amours, les sentiments les moins ordinaires se faisant volontiers plus vifs et plus ravageurs. On songe par exemple à la terrible passion du vieil Hulot dans *La cousine Bette* (d'une manière générale, on pensera d'ailleurs avec G. Picon que «le monde de *La cousine Bette* est celui des victimes d'Éros»), mais aussi à des sentiments plus monstrueux encore; ainsi s'explique la fréquence des amours homosexuelles (la marquise de San-Réal dans *La fille aux yeux d'or* ou Vautrin). Il n'y a là nulle complaisance de la part de Balzac; seulement le besoin d'étendre à tous les domaines l'expérience du romancier, mais surtout d'étudier l'amour dans ses formes extrêmes: or (Proust le confirmera) un sentiment battu en brèche par la société et qui trouve dans sa singularité des raisons d'affiner ses différences, atteint plus aisément qu'un autre au paroxysme.

LE MARIAGE

On exagérerait à peine en disant que le roman français du XIXe siècle est avant tout celui de l'adultère, consommé *(Le Rouge et le Noir, Madame Bovary...)* ou rêvé *(L'éducation sentimentale, Dominique* de Fromentin ou *Volupté* de Sainte-Beuve, pour une part *La chartreuse de Parme...).* D'une certaine façon, le premier grand roman de la littérature française, *La princesse de Clèves,* frayait la voie. On l'expliquera aisément si l'on admet que le roman est le genre qui convient à une société qui remet ses valeurs en cause sans en avoir trouvé de nouvelles; ainsi l'adultère matérialise-t-il la crise de l'amour prisonnier d'une institution traditionnelle dont il est au demeurant impuissant à s'affranchir. Le roman d'amour est une interrogation sur l'amour comme *Don Quichotte* est une interrogation sur la noblesse et sur la guerre, et on a pu dire d'Emma Bovary qu'elle était une sorte de Don Quichotte de l'amour. Si l'on excepte *Le lys dans la vallée,* dont l'intrigue se situe dans la lignée qui va de *Volupté* à *L'éducation sentimentale,* Balzac navigue à contre-courant. Comme le fait observer F. Marceau, les couples heureux de la *Comédie humaine* sont presque tous des couples légitimes, et si Albert Savarus a l'infortune d'aimer une femme déjà mariée, il sait patiemment attendre la mort du mari (comme Balzac sut attendre la mort du comte Hanski...).

Non seulement Balzac fait du mariage (plutôt que de l'amour) le sujet d'un grand nombre de ses romans, mais encore il intitule l'une des *Études analytiques* de la *Comédie humaine: Physiologie du mariage* et l'autre *Petites misères de la vie conjugale.* La première notamment est un texte curieux, émaillé de renseignements statistiques aussi bien que de conseils pratiques. Elle s'adresse principalement aux hommes («La femme, y lit-on, est un délicieux instrument de plaisir, mais il faut en connaître les frémissantes cordes...»). Surtout, elle fait ressortir que le mariage est une institution qui n'a rien de naturel: ainsi les hommes attendent-ils le plus souvent d'avoir trente ans pour se marier alors que leur vigueur est à son apogée quand ils en ont vingt. Ce fâcheux décalage prédispose à l'adultère et favorise une autre institution: la courtisane. Mais Balzac s'intéresse aussi à certains détails comme l'assouvissement sexuel des époux (on en a déjà eu une idée avec *La vieille fille:* l'impuissance est un problème qui l'obsède) ou encore l'âge auquel on peut avoir des enfants et les dangers du seuil de la quarantaine pour une femme.

A cette institution, il semble qu'on soit pourtant invité à se plier. Les *Scènes de la vie privée,* que Balzac composa pendant sa jeunesse (et alors qu'il était célibataire!), si elles montrent parfois les infortunes du mariage *(La femme abandonnée, Le colonel Chabert...),* en montrent surtout les vertus. *Mémoires de deux jeunes mariées* tient de ce point de vue une place éminente (Balzac se fait le chantre de la vie conjugale et exalte par exemple les joies de l'allaitement) mais on ne trouve guère de romantisme dans ces éloges («Tu vois, chère folle, écrit Renée de l'Estorade, que nous avons étudié le Code dans ses rapports avec l'amour conjugal!»). Si l'amour peut accepter d'étranges ingrédients sans pourtant perdre son nom, à plus forte raison le mariage n'exclut-il pas le réalisme. «Un homme, dans la *Comédie humaine* (écrit André Maurois), se marie parfois par ambition, presque toujours par intérêt.» C'est qu'il faut, pour jouer son rôle sur la scène sociale, en accepter les contraintes. L'amour n'est pas pour autant banni: il alimente l'énergie de la personnalité qui se dissoudrait si elle ne se moulait dans le cadre des institutions. La séparation entre l'idéal et l'ambition, qui mine les héros romantiques, n'est pas de mise chez Balzac dans la mesure où il choisit le masque qui donne accès à la comédie humaine. Il y a du pessimisme le plus noir dans une telle attitude et peut-être un romantisme refoulé. Mais comment en juger? Demeure avant tout l'œuvre, la *Comédie humaine,* qui enseigne que seul le réel est authentique; ceux qui se repaissent de chimères s'excluent d'eux-mêmes du théâtre de la vie. L'importance accordée par Balzac à une institution jugée par lui-même aussi peu naturelle que le mariage mesure bien le conformisme foncier, on dirait presque ontologique, de son attitude devant la vie.

L'ARGENT

• *Son importance*

Écrivant à Stendhal pour le féliciter après la parution de *La chartreuse de Parme,* Balzac s'étonnait pourtant qu'au milieu de tant d'événements, il ne fût point question d'argent. Il se trompait en partie: mais quand la Sanseverina a de l'argent, c'est pour le dilapider, et le riche comte Mosca, au faîte des honneurs, envisage sereinement de vivre avec une petite pension. L'argent ne compte pas pour des «happy few». Mais *La chartreuse* se passe à une autre époque, dans un autre pays. Balzac, lui, garde les yeux ouverts sur un temps qui consacre le triomphe de la bourgeoisie. «Enrichissez-vous», conseille Guizot aux Français pendant que se construit la *Comédie humaine.* Et Balzac n'écrit pas pour des «happy few». Mais l'argent n'est pas seulement pour lui une réalité du temps: c'est aussi une obsession personnelle. En proie, sa vie durant, à une véritable frénésie de luxe (qui le conduisait à meubler somptueusement ses appartements et en particulier à se ruiner dans l'achat de tapis), Balzac devait sans cesse relancer ses éditeurs pour faire front à ses créanciers. On ne peut risquer d'hypothèse quant au rôle qu'ont joué les besoins financiers de l'auteur sur l'ampleur de la *Comédie humaine* et le nombre des titres; il semble pourtant que l'argent ait été non seulement le thème principal de l'œuvre, mais aussi son moteur.

Qu'*Eugénie Grandet* passe si souvent pour le roman type de Balzac est un signe qui ne trompe pas. L'avare Grandet est peut-être la figure la mieux connue de la *Comédie humaine.* Avec le père Goriot. Justement: l'un amasse tandis que l'autre se ruine; mais tous deux se définissent par rapport à l'argent. Nous avons souligné le sérieux des analyses de l'amour chez Balzac. Mais les mécanismes de la Bourse l'intéressent infiniment plus que ceux du sentiment. C'est peut-être, comme le fait remarquer F. Marceau, parce qu'il ne montre pas devant ces questions la pudeur qui caractérise notre époque. A la liberté d'expression, il ajoute pourtant la compétence, que ce soit pour démonter les procédés d'usure de Gobseck, le savoir-faire du banquier Nucingen ou l'engrenage de la décadence de César Birotteau. Les comptes de Lucien de Rubempré à son arrivée à Paris sont soigneusement détaillés et le montant de ses achats nous renseigne sur le coût de la vie à cette époque[1]. C'est que dans cette période où les prétentions de l'aristocratie s'effacent, l'argent devient le grand, le seul moyen de promotion sociale. «Tout marchand aspire à la bourgeoisie» *(Pierrette).* Ceux qui manquent d'argent sont réduits aux compromissions: malgré les conseils de Daniel d'Arthez (l'un des rares à y résister), Lucien perdra son art et son âme. Nous avons vu l'argent inséparable de l'amour: on n'aurait pas idée d'épouser une jeune fille sans connaître le montant de sa dot. Il est même nécessaire aux aspirations les plus idéales de l'âme: pour mener à bien sa recherche de l'Absolu, Balthazar Claës se ruine et ruine sa famille dans l'achat d'instruments et de produits chimiques. «Tu as donc de l'argent?»: ce cri, adressé à sa fille tandis qu'elle essaie de sauver les dernières ressources de la famille, ravale le noble Balthazar au rang du père Grandet, dont l'avarice s'étend aux économies de sa fille. Pour Grandet, l'argent est un but; pour Claës, un moyen; mais au bout du compte, en vertu d'un enchaînement lié à notre société marchande et qui les dépasse, l'un et l'autre se trouvent dégradés par une égale rapacité. Le cousin Pons, quant à lui, est condamné par «cette grande et incurable blessure, le manque d'argent».

• *Le jugement de Balzac*

Non seulement Balzac constate que l'argent est «la seule puissance de ce temps» *(Le cabinet des antiques),* mais il doit y reconnaître le dieu qui a supplanté les autres valeurs («Le seul dieu moderne auquel on ait foi, l'Argent dans toute sa puissance», *Eugénie Grandet).* A la véritable aristocratie a succédé celle de l'argent («La puissance argent nous mène à la plus triste des aris-

1. Il faut multiplier par 10 environ les chiffres de cette époque pour obtenir l'équivalent en francs actuels.

tocraties, celle du coffre-fort», article dans *La Mode,* 20 février 1830). Or, cette nouvelle source de domination est un leurre, car tandis que les nobles appuyaient sur leur bras et leur générosité leur pouvoir sur la société, l'argent «n'est qu'un signe de la puissance» *(La duchesse de Langeais).* Témoin d'une civilisation pré-capitaliste, Balzac en est aussi le critique; c'est en effet le propre de la société moderne que de remplacer les valeurs par leur apparence ou (si l'on peut risquer cette comparaison) la religion par l'idolâtrie. Si du moins la soumission à l'argent était un sûr moyen de tenir son rôle dans cette comédie humaine sans laquelle il n'est point de salut: mais il n'en est rien. La folie du père Goriot, qui se ruine par amour pour ses filles, est égale à celle du père Grandet, qui ruine sa famille par amour de l'argent. «Les hommes les plus fantasques se trouvent parmi les gens adonnés au commerce de l'argent. Ces gens sont, en quelque sorte, les libertins de la pensée» *(Illusions perdues).* A se montrer trop dociles aux valeurs de leur époque et à jouer trop bien la comédie, certains personnages deviennent des histrions. «La *Comédie humaine* est un corps où, en guise de sang, circule l'argent», écrit André Wurmser. Du moins faut-il reconnaître à Balzac le mérite d'avoir su diagnostiquer les scléroses ou les embolies auxquelles aboutissent les défauts de circulation.

LA RELIGION

«J'écris à la lumière de ces deux flammes éternelles: la monarchie et la religion», lit-on dans l'*Avant-propos* de la *Comédie humaine.* Ce qui n'empêche pas François Mauriac d'affirmer que l'œuvre de Balzac «apparaît antichrétienne par essence». Il n'y a là nul paradoxe: Balzac se sert de la religion plutôt qu'il ne la sert. C'est la définition même du cléricalisme. On ne peut manquer d'être choqué par les propos que tient la duchesse de Langeais: «La religion est le lien des principes conservateurs qui permettent aux riches de vivre tranquilles. La religion est intimement liée à la propriété.» Rien n'indique que Balzac prenne la moindre distance par rapport aux idées de la duchesse. N'y voyons pourtant nul cynisme: nous avons dit à quel point Balzac blâmait les excès de la société qu'il dépeignait, défigurée par les passions et notamment par celle de l'argent. Face à ces dangers, le catholicisme représente «un système complet de répression des tendances dépravées de l'homme». Ainsi permet-il à chacun de tenir son rôle sur la scène. Peu importe que Dieu existe ou non: il suffit que les personnages imaginent la présence de ce metteur en scène dont la fermeté prévient les faux pas.

Sans doute la prescription ne vaut-elle pas pour tous. Bénassis, le médecin de campagne, pense que «le dogme de la vie à venir est non seulement une consolation, mais encore un instrument propre à gouverner» et Bianchon attribue les malheurs du siècle à «l'absence de religion»: mais aussi éclairés que leur créateur, l'un et l'autre traduisent là une conviction politique plutôt qu'une adhésion personnelle. Et l'on trouvera symptomatique que la *Comédie humaine* ne contienne même pas l'équivalent des belles figures de l'abbé Blanès de *La Chartreuse* ou de l'abbé Chélan du *Rouge et le noir.* C'est pourtant Stendhal qui, des deux romanciers, passe pour l'anticlérical! Les abbés de Balzac sont des sots ou des intrigants. «Comble d'impertinence, écrit A. Wurmser: entre tous les romans de la *Comédie,* c'est peut-être du *Curé de Tours* que Dieu est le plus absent!» Du reste, pour un penseur qui fait du mariage la pierre angulaire de notre société, le célibat des prêtres ne peut être qu'une monstruosité. Aller à Dieu n'est qu'un recours pour les faibles: ainsi pour la malheureuse Pierrette, condamnée au mysticisme.

LA POLITIQUE

«Ce serait une assez sotte chose que de glisser des discussions politiques dans un récit qui doit amuser ou intéresser», lit-on dans *La fausse maîtresse.* A ce précepte, Balzac ne se conforme qu'imparfaitement. Il n'est que trop visible que dans *Le médecin de campagne,* Bénassis sert de porte-parole aux idées de l'auteur. On peut trouver paradoxal que, s'abritant derrière l'autorité de la monarchie et de la religion, Balzac ait suscité l'intérêt et parfois la sympathie de tant de penseurs marxistes (Lukacs, Wurmser, Barberis...). C'est que son légitimisme dépasse de beaucoup les limites d'une adhésion étroite : il se fonde sur une observation pénétrante des réalités économiques et sociales de son époque, et il contient une critique des contradictions de la société capitaliste naissante, même s'il leur apporte une réponse inattendue. Le capitalisme produit en effet à ses yeux des antagonismes de classes et accroît l'inégalité entre le peuple et la bourgeoisie ; or (ainsi que l'exprime clairement Bénassis) l'inégalité multiplie les froissements. Le seul remède à ces antagonismes est l'instauration d'un pouvoir fort, qui arbitrera les conflits et assurera le progrès. Dans sa faveur pour le despotisme éclairé, Balzac est aussi bien admiratif pour Napoléon. C'est pourtant un roi, appuyé sur la puissance de l'Église, qui lui paraît le meilleur garant. Mais ce roi devra accepter les mécanismes du monde moderne et les impératifs de l'industrie naissante. Or l'industrie ne peut être fondée que sur la concurrence. « Maintenant, pour étayer la Société (conclut Bénassis), nous n'avons d'autre soutien que l'égoïsme. Les individus croient en eux... Le grand homme qui nous sauvera du naufrage vers lequel nous courons se servira sans doute de l'individualisme pour refaire la nation. »

Le monarchisme de Balzac s'accompagne évidemment d'une hostilité déclarée au suffrage universel. Mais il s'appuie aussi sur le droit d'aînesse, en faveur duquel Balzac publia même une brochure : le partage des fortunes entre des héritiers « multiplie les ambitions dans un pays qui n'a pas, comme l'Angleterre, de vastes débouchés pour sa jeunesse ». Dans la grande querelle des *biens nationaux* (blessure qui demeure cuisante dans la France du XIXe siècle, au moins jusqu'en 1848), Balzac prend évidemment parti pour les émigrés spoliés ; nombre des fortunes scandaleuses constituées dans la *Comédie humaine* ont du reste pour origine le rachat des biens de la noblesse. Ainsi Grandet « eut pour un morceau de pain, *légalement, sinon légitimement,* les plus beaux vignobles de l'arrondissement» (souligné par nous). Cette question affleure également dans *Une ténébreuse affaire,* dans *La rabouilleuse,* ailleurs encore. On peut même trouver des excuses, dans *Le lys,* à l'insupportable comte de Mortsauf, hypocondriaque qui fait le malheur de sa femme, dans la mesure où il est une victime de la Révolution, dont a su au contraire profiter le père de M. de Chessel. *Le bal de Sceaux,* œuvre de jeunesse, contenait un éloge de Louis XVIII, capable, aux yeux de Balzac, de réconcilier une France coupée en deux après la chute de l'Empire. Avec les monarchistes, Balzac a aussi en commun la nostalgie de l'ancienne France, et ce témoin impartial de son temps est parfois surpris (comme dans *La recherche de l'Absolu*) à regretter le progrès social qui modernise les villes. Sa tendresse pour la vieille aristocratie est enfin visible dans *Béatrix* ou *Le cabinet des antiques.* «Le Peuple, lit-on dans ce dernier ouvrage, donnait trop de soucis au Roi pour qu'il pensât à sa noblesse.»

Ce monarchisme ne va pourtant pas sans contradictions. Ou plutôt, il n'est que la forme apparente, pratique d'une pensée politique plus profonde. «Sa seule pensée politique profonde» (à en croire G. Picon), l'appel aux énergies, Balzac la prête à Z. Marcas... qui est républicain: «On a pris jusqu'à présent les reculades de la peur et de la lâcheté pour les manœuvres de l'habileté; mais les dangers viendront et la jeunesse surgira comme en 1790. Elle a fait les belles choses de ce temps-là.» La référence à 1790 est surprenante! «La France (poursuit Marcas) ne vous dira pas qu'elle est lasse, jamais on ne sait comment on périt, le pourquoi est la tâche de l'historien; mais vous périrez certes pour ne pas avoir demandé à la jeunesse de la France ses forces et son énergie.» On ne s'étonnera pas dans ces conditions de trouver dans la *Comédie humaine* de belles figures de républicains: Niseron dans *Les paysans,* Pillerault dans *César Birotteau,* Michel Chrestien dans *Splendeurs et misères des courtisanes.* Nous avons vu Balzac critique jusqu'au dégoût devant les excès de l'argent: cette répulsion peut conduire à souhaiter l'arbitrage moral d'un souverain tout-puissant, mais aussi parfois le vent salutaire d'une révolution, et Balzac met sans doute de lui-même dans cette indignation de Bianchon sortant de chez la marquise d'Espard: «Je hais ces sortes de gens, et je souhaite une révolution qui nous en débarrasse à jamais.» Bref, s'il mise sur la monarchie pour canaliser les énergies en donnant à la France son unité, Balzac est moins éloigné de ceux qui misent sur la Révolution pour jouer ce rôle que de ceux qui se résignent à la sclérose de nos institutions et de notre société. «Je fais partie, écrit-il, de l'opposition qui s'appelle la vie.»

PARIS ET LA PROVINCE

• *L'enfer parisien*

Né à Tours, Balzac est «monté» à Paris avec sa famille dès l'âge de quinze ans. Ses séjours à Villeparisis, ses retraites à Saché (en Touraine), son installation provisoire aux Jardies (à Sèvres) n'empêchent pas qu'il est resté jusqu'à la fin de sa vie un Parisien. Du provincial, il paraît cependant garder devant la capitale l'éblouissement et l'effroi. Soucieux de montrer, du théâtre de la vie, le devant de la scène; intéressé, dans notre système économique et social, par ce qui en constitue le moteur, il est naturellement conduit à braquer en priorité son objectif sur Paris, terme de toutes les ambitions, lieu où se nouent et se dénouent les intrigues du monde de la politique, de l'édition et du journalisme. «Paris est à la fois toute la gloire et toute l'infamie de la France» *(Illusions perdues);* fasciné par la puissance de l'argent, Balzac y découvre les plus grosses fortunes et les pires misères. C'est à Paris qu'«éclate l'inégalité des conditions, dans ce pays ivre d'égalité» *(Le cousin Pons);* rien d'étonnant dans ces conditions qu'y germent toutes les révolutions. En outre, dans cette «comédie» où l'apparence est tout, Paris autorise la parade, le snobisme; on s'y prévaut au mieux de son hôtel particulier, de ses chevaux; on s'y distingue suivant un code inconnu des provinciaux. «A Paris, le succès est tout, c'est la clef du pouvoir» *(Le père Goriot).*

Mais Paris est autre chose, dans l'œuvre de Balzac, qu'un lieu privilégié des grandes affaires du pays. C'est un univers à part et les longues pages qui ouvrent *Ferragus* ou *La fille aux yeux d'or* visent moins à situer le lieu de l'action qu'à traduire avec lyrisme une impression de profondeur et de mystère devant ce corps vivant qu'est la capitale. «Les rues de Paris ont des qualités humaines, et nous impriment par leur physionomie certaines idées contre lesquelles nous sommes sans défense» *(Ferragus).* Le caractère infernal de la ville («car ce n'est pas seulement par plaisanterie que Paris a été nommé un enfer», *La fille aux yeux d'or)* rejaillit sur ses habitants qui consument leur vie avec plus d'ardeur que partout ailleurs. Obsédé par la dilapidation des énergies et l'usure de la vie humaine, Balzac concentre naturellement son inspiration sur ce foyer où, suivant l'expression, on brûle sa vie par les deux bouts. *La peau de chagrin,* qui illustre par un conte cette hantise, n'a pas besoin d'un lieu imaginaire: le Paris du XIXe siècle fournit le cadre idéal à cet apologue fantastique.

• *Nostalgies de Balzac?*

Critique devant une société qui, en mythifiant l'argent, engendre de véritables monstres, Balzac est impitoyable pour ce Paris où se célèbre avec le plus de vénération le culte du Veau d'or et qui «se produit dans toutes les imaginations de province comme un Eldorado» *(Illusions perdues).* La description de cette ville monstrueuse qui aspire tous les talents mais aussi l'argent des autres villes de France caractérise un phénomène connu encore aujourd'hui des Français: la centralisation. «La France au XIXe siècle est partagée en deux grandes zones: la province jalouse de Paris, Paris ne pensant à la province que pour lui demander de l'argent» *(La muse du département).* Une cité qui a ainsi perdu son visage humain ne peut convenir qu'à des ambitieux sans vergogne ou à des maniaques. «Patrie des excentriques», est-il dit dans *Le cousin Pons;* amateur jusqu'à la folie d'objets de collection, Pons ne peut évidemment assouvir ailleurs qu'à Paris sa ruineuse passion au point qu'il dépérit quand il s'en trouve éloigné et retrouve ses couleurs quand il y revient! Nul doute qu'intoxiqué lui-même par la manie du bric-à-brac et par la vie parisienne, Balzac ne nous livre ici un trait de satire dirigé contre lui-même... On peut même lire une confession nostalgique dans telle phrase de *La recherche de l'Absolu:* «Il faut n'avoir ni foyer ni patrie pour rester à Paris.»

Son regret de la vie tranquille et de la province, on en trouve trace dans *Le lys dans la vallée.* Le roman se déroule en Touraine, dans une région demeurée chère à son cœur. C'est sa seule œuvre, à vrai dire, où s'exprime un authentique sentiment de la nature. Mais tout se passe comme si, à l'exemple de Félix de Vandenesse, Balzac s'était arraché à ses racines aussi bien qu'à son idéal pour gagner l'«enfer» et y faire fortune. Il semble parfois qu'il joue le jeu au point de railler la province, ses maladresses et ses toilettes surannées: «La négligence des autres costumes, tous incomplets, sans fraîcheur, comme le sont les toilettes de province...» *(Eugénie Grandet).* On se moque, dans *Illusions perdues,* des ridicules de Madame de Bargeton, vraie reine dans la petite société d'Angoulême, mais provinciale endimanchée dès qu'elle paraît dans les salons parisiens. Ailleurs pourtant, la province paraît gardienne des vraies traditions. On regrette, dans *La recherche de l'Absolu,* la modernisation trop rapide de Douai. Et Balzac s'étend avec nostalgie sur la description de ces petites villes figées, isolées, qui apparaissent comme des survivances de l'Ancien Régime: Guérande, Saumur, Issoudun, Sancerre... Ces évocations ne sont pas exemptes de satire (ainsi Alençon, théâtre d'une véritable course à la dot dans *La vieille fille);* mais elles sont aussi parfois porteuses des valeurs authentiques auxquelles s'accroche ce Tourangeau, venu dans l'enfer parisien brûler sa «peau de chagrin» en étudiant, avec l'acharnement d'un damné, le tourbillon de la comédie humaine.

LA PASSION

• *Formes de la passion*

On ne démêle guère parfois, en lisant la *Comédie humaine,* où est le bien et où est le mal. Faut-il admirer ou blâmer le père Goriot d'aimer à ce point ses filles? Balzac montre en lui un «Christ de la paternité»; mais le vieillard avoue lui-même: «Mes filles, c'était mon vice à moi.» Ce «vice», qui le pousse à se dépouiller de tout par amour, mérite-t-il moins le blâme que celui de Balthazar Claës qui ruine au contraire sa famille pour atteindre l'Absolu? Nous avons dit quelle critique du pouvoir de l'argent on pouvait lire dans la *Comédie humaine;* mais s'il était nécessaire de justifier Balzac sur ce chapitre, c'est que la passion de l'or confère à certaines de ses créatures une grandeur qui peut inquiéter; ainsi l'usurier Gobseck: «Ce petit vieillard avait grandi. Il s'était changé à mes yeux en une image fantastique où se personnifiait le pouvoir de l'or.» Au reste, tracera-t-on une frontière bien nette entre Claës, qui recherche l'Absolu sous la forme bien palpable du diamant qu'il veut fabriquer par ses expériences chimiques, et les grands avares de la *Comédie humaine?*

C'est que pour Balzac, l'essentiel est ailleurs. Il est que ces êtres poussent leur passion, quelle qu'elle soit, à son extrémité. L'amour de ses enfants, de l'argent ou de la Science est, à ce degré, agent de transfiguration, mais aussi de dévastation. «Grandet n'est pas passionné parce qu'il est avare, écrit G. Picon: il est avare parce qu'il est passionné – l'avarice est devenue sa passion.» La passion est première; peu importe, à la limite, sur quel objet elle fond ensuite pour se donner consistance. Sa fatalité la condamne à s'accroître, à se nourrir d'elle-même, comme une boule de neige. «Son avarice, lit-on de Grandet, s'était accrue comme s'accroissent toutes les passions persistantes de l'homme.» La destruction la plus visible causée par la passion est celle de la famille. Balzac en rend compte dans son *Avant-propos* où il désigne «la Famille et non l'Individu comme le véritable élément social». La passion menace donc l'ordre conservateur auquel Balzac est attaché, elle constitue, par la prolifération anarchique d'énergie qu'elle suppose, un véritable cancer pour notre société.

Mais elle détruit aussi l'individu lui-même. Celui-ci représente au départ une réserve d'énergie, une somme de désirs intacts. Qu'il les garde à l'état virtuel, et il en prolongera l'existence. Mais qu'est-ce qu'un désir qui ne s'exprime pas? En se donnant libre cours, le désir tue celui qui l'éprouve. En un sens, vivre, c'est mourir. C'est vrai de nos facultés de jouissance. Nous avons dit combien Balzac était obsédé par l'impuissance sexuelle. Son univers foisonne de quadragénaires que leurs débauches ont réduits à la chasteté. A trop «aimer», on devient incapable d'aimer. Il semble même que l'intempérance amoureuse se paie dans d'autres domaines de l'activité, et chez Balthazar Claës aux prises avec ses réactions chimiques, il est dit que ses «facultés avaient été jusqu'alors conservées par la chasteté naturelle». (Encore faut-il que cette chasteté n'aille pas jusqu'à une outrance contre nature, puisque celle des prêtres inquiète Balzac: le mariage est décidément le meilleur régulateur...) De cette déperdition d'énergie, que le désir sexuel figure le mieux, et qui mène à l'impuissance et à la mort, *La peau de chagrin* fournit la meilleure parabole. «En un mot, tuer les sentiments pour vivre mieux, ou mourir jeune en acceptant le martyr des passions»: tel est le dilemme proposé à Raphaël de Valentin. Fixée sur un objet, la passion consiste en un paroxysme des désirs qui minent l'individu et le corps social.

• *Essence de la passion*

De cette passion balzacienne, André Alleman[1] fournit une excellente analyse. La passion se résume à un besoin de sortir de soi et de posséder. De Gobseck, Balzac écrit qu'il «s'était fait or». L'amour de vanité répond au même principe. Chez Vautrin (et c'est en quoi il peut donner à l'intérieur de la *Comédie*

1. *Unité et structure de l'univers balzacien*, Plon, 1965.

humaine une image de Balzac lui-même), la passion est celle de se rendre maître de tout le théâtre de l'univers en en tirant les ficelles à sa guise. A ce genre de passion, il faut des êtres «passifs» (poussant la comparaison entre Vautrin et Balzac, nous dirons qu'il leur faut à tous deux des «personnages»). Après avoir cru trouver en Rastignac celui qui répondrait à ses ambitions *(Le père Goriot),* Vautrin le découvre en Lucien de Rubempré *(Illusions perdues* et *Splendeurs et misères des courtisanes).* Ce dernier devient le jouet des désirs de son «maître», une marionnette sur la scène où celui-ci déploie son ambition.

A un degré plus élevé (dans la «sphère supérieure», dirait Balzac), ce désir de sortir de soi-même mène à l'amour idéal tel qu'il est réalisé dans *Séraphîta,* c'est-à-dire à la création d'un être à la fois homme et femme, à l'androgyne (peut-être le goût de Balzac pour la représentation des penchants homosexuels relève-t-il en partie de cet idéal: aller à l'encontre de son sexe serait la voie maladroite pour parvenir à cette Unité que recherche tout individu en sortant de soi-même par l'amour). Mais on peut aussi sortir de soi-même par la Pensée: c'est la voie qui s'est offerte à Louis Lambert. Dans *Louis Lambert,* Balzac dit exceptionnellement *je* pour parler d'un compagnon génial, qui a fait comme lui des études au collège de Vendôme et qui lui ressemble au point d'avoir comme lui conçu tout jeune un *Traité de la volonté.* Si Louis aime Pauline de Villenoix d'un amour idéal, il la rejette quand il découvre en elle un obstacle à l'exercice de ses facultés intellectuelles. Pauline deviendra alors l'humble servante de ce penseur que le commun des mortels croit fou (il est en vérité *schizophrène,* c'est-à-dire atteint d'un dédoublement de la personnalité qui vérifie bien l'analyse de la passion d'A. Alleman) et qui cherche éperdument les limites de sa pensée au point de mourir précocement, victime d'épuisement. Mieux que Balthazar Claës, aux prises dans son laboratoire avec des cornues et des produits chimiques pour produire un diamant, Louis Lambert figure bien dans la *Comédie humaine* la recherche de l'Absolu. Les traits nettement autobiographiques du personnage montrent que Balzac a voulu représenter à travers lui sa propre volonté de pousser ses facultés créatrices à leur limite, quitte à en mourir.

L'ART

Il reste que si Balzac se tue à la tâche, ce n'est pas comme Louis Lambert pour développer une pensée abstraite, mais pour composer une œuvre d'art. L'art, pourtant, obéit aux mêmes contradictions que la pensée et que la vie elle-même: ses excès le tuent. Dans *Le chef-d'œuvre inconnu,* la passion créatrice du peintre Frenhofer, poussant son génie à ses limites, en arrive à l'annihiler; le tableau dans lequel il a mis le meilleur de lui-même n'est rien d'autre, quand il le découvre enfin, qu'un amas incompréhensible de lignes et de couleurs; seul un pied, saisissant de vérité, témoigne de son génie dans la figure qu'il entendait représenter. Il a dépensé trop de forces à vouloir accomplir l'impossible; en art aussi, la débauche mène à l'impuissance. *Gambara* et *Massimilla Doni* témoignent de même, mais dans le domaine de la musique, qu'on ne peut réussir ce qu'on désire avec trop d'ardeur. Du moins cette sublime ambition élève-t-elle les artistes au-dessus du commun des mortels.

«Le monde a bien raison de se défier des artistes, déclare l'ignoble Cardot dans *Le cousin Pons,* ils sont malins et méchants comme des singes.» La comédie humaine ne reconnaît pas à leur juste place ces êtres d'exception qui veulent s'élever au-dessus des apparences et des simagrées et elle les accuse d'être eux-mêmes coupables des singeries dont elle est coutumière. «Un grand artiste aujourd'hui, c'est un prince qui n'est pas titré» *(La cousine Bette).* Certains, il est vrai, pratiquant la comédie du génie, fournissent les flèches dont seront ensuite accablés les vrais artistes. Ainsi Nathan, l'écrivain et journaliste, ou même Canalis le poète. Mais Frenhofer ou Gambara ont en commun avec Balzac une ambition métaphysique, entendez qu'ils veulent, par l'invisible ou l'inouï, rendre compte du monde dans lequel nous vivons. Ils échouent? Sans doute. Du moins le pied, sublime, du tableau de Frenhofer atteste-t-il de l'élévation de son génie, et s'il donne le plus souvent dans la cacophonie, Gambara peut tout de même se consoler d'avoir composé à l'occasion «la musique la plus pure et la plus suave que le comte ait jamais entendue».

Les «faiseurs» comme Nathan représentent la catégorie d'écrivains à laquelle Balzac redoutait sans doute d'appartenir: c'est le monde du journalisme, du feuilleton auquel il n'a pas toujours échappé. Celle des génies sublimes et incompris figure cette ambition démesurée qui le dévorait, même s'il redoutait de s'y brûler les ailes. Entre les deux, il y a place cependant pour des artistes qui savent dompter leur génie. C'est le cas par exemple de Joseph Bridau, l'un «des meilleurs peintres de la jeune école», qui doit se débattre dans des obstacles matériels pour obéir à sa vocation, mais qui ne peut, malgré son grand talent, se faire admettre à l'Institut *(Pierre Grassou),* comme, plus tard, Balzac ne pourra entrer à l'Académie française! C'est encore Camille Maupin, protectrice de Bridau, qui tient un salon célèbre et écrit de remarquables romans avant d'entrer en religion (voir surtout *Béatrix).* C'est enfin et surtout Daniel d'Arthez, honnête, pauvre et laborieux, qui tente sans succès de remettre Lucien de Rubempré dans le droit chemin *(Illusions perdues)* et s'impose, à force de travail et de génie, comme l'un des meilleurs écrivains de sa génération.

C'est donc dans l'austérité, au milieu de la misère parfois, que l'artiste doit s'accomplir pour mener sa tâche à bien. Ce dépouillement de soi lui permet de mieux dominer le monde et de l'observer. Mais l'observation ne suffit pas: il faut les qualités de l'imagination qui permettent de faire œuvre d'art («Qu'est-ce que l'art, monsieur? demande d'Arthez dans *Illusions perdues.* C'est la Nature concentrée»). La technique doit venir étayer l'inspiration, et la pensée contrôler les élans du sentiment («L'art procède du cerveau et non du cœur», *Massimilla Doni).* Nul doute qu'entraîné par le démon de la démesure, par le vertigineux attrait du luxe et peut-être de la débauche, Balzac n'ait présenté comme une flatteuse image de lui-même le sage Daniel d'Arthez. Dans ce combat qui se livre en lui, et auquel peut se résumer la *Comédie humaine,* de la folle énergie et de la raison, Louis Lambert figurerait assez bien le principe de dépense et d'Arthez le principe d'économie.

Balzac devant la critique

5

Balzac a pâti à son époque du préjugé défavorable qui s'attachait au roman, considéré comme un art inférieur. Parmi les romanciers eux-mêmes, Balzac n'obtient pas toujours la meilleure cote de la critique autorisée. Sainte-Beuve voit en George Sand «un plus grand, plus sûr et plus ferme écrivain que M. de Balzac» et, ajoute-t-il, «M. Eugène Sue est peut-être l'égal de M. de Balzac en invention, en fécondité et en composition». Baudelaire qui discerne avec son habituelle sûreté la vraie nouveauté de Balzac: la création d'un «héroïsme de la vie moderne» («Car les héros de l'Iliade ne vont qu'à votre cheville, ô Vautrin, ô Rastignac, ô Birotteau»), trouve néanmoins dans la *Comédie humaine* «quelque chose de diffus, de bousculé et de brouillon». Beaucoup admirent la forte personnalité de Balzac, mais lui font grief de ses écarts de style. Ainsi Flaubert: «Quel homme eût été Balzac, s'il eût su écrire!»

Quand, après la mort de Balzac, le courant réaliste s'impose, son penchant pour le fantastique, la force même de son imaginaire suscitent des réserves. Ce sont pourtant bien ces «défauts» qui lui valent l'admiration de Théodore de Banville, qui reconnaît en lui «l'immortel Homère du monde moderne». Théophile Gautier va plus loin: «Balzac, que l'école réaliste semble vouloir revendiquer pour maître, n'a aucun rapport de tendance avec elle.» Ce ne sera pas l'avis de Taine, qui saura gré à Balzac d'avoir su mettre à jour, autour d'un événement ordinaire (mariage, mort, faillite...), tout ce qu'il peut y avoir de sentiments et d'intrigues dissimulés, ce qui est selon lui le principe même du roman réaliste.

La recherche du temps perdu rend hommage à Balzac. Sensible au génie de la *Comédie humaine,* Proust en excuse les vulgarités. Swann, son héros, «eût souffert mille morts d'employer» certaines tournures de Balzac; mais il «eût été incapable d'écrire *La cousine Bette* et *Le curé de Tours*». Proust, songeant à l'ivresse que dut éprouver Balzac en découvrant l'unité de ses romans et en inventant le retour des personnages, reconnaît même sa dette envers son devancier. Mais en rivalisant avec la *Comédie humaine,* il en prend d'une certaine façon le contre-pied; son histoire d'une société vue au travers d'un seul regard (celui du personnage-narrateur) et non en vertu de l'omniscience d'un romancier émule de Dieu, c'est de l'anti-Balzac. «Depuis cinquante ans, écrivait Brunetière au début du siècle, un bon roman est un roman qui ressemble d'abord à un roman de Balzac.» Après Proust, on peut presque dire l'inverse. L'«ère du soupçon[1]» disqualifie les analyses psychologiques qui rendent compte avec clarté des motivations d'un personnage. Quand il attaque dans *Pour un nouveau roman* les «notions périmées» sur lesquelles vit encore une certaine critique romanesque (le personnage, l'histoire), c'est évidemment au modèle balzacien que Robbe-Grillet s'en prend. Mais, d'une certaine façon, l'agressivité que manifestent les romanciers à l'égard de Balzac est signe de sa santé. Racine et Corneille ont survécu à la préface de *Cromwell* et leurs pièces sont aujourd'hui plus souvent représentées que celles de Hugo. Si tant d'écrivains ferraillent aujourd'hui pour défendre leur conception du roman, c'est parce que la *Comédie humaine* l'a imposé comme un genre sérieux. Il fallait pour parvenir à ce résultat une ambition démesurée, celle d'un historien de son époque, d'un philosophe volontiers mystique, d'un homme de science soucieux de démêler en toutes choses les causes et les effets. Rien de très romanesque dans cela. Au bout de ces illusions prométhéennes, perdues pour l'histoire, pour la philosophie, pour la science, il y avait pourtant la *Comédie humaine.*

1. Titre d'un ouvrage de Nathalie Sarraute qui donne une idée assez fidèle du climat dans lequel se développe le roman des années 50. Le roman cesse d'imposer, il propose; au lecteur de faire le reste.

Bibliographie

ŒUVRES DE BALZAC

La Comédie humaine, Bibliothèque de la Pléiade, Gallimard, 10 vol. et un volume comprenant les *Contes drolatiques*, les œuvres ébauchées, les préfaces, des notices de R. PIERROT et deux index de F. LOTTE ; texte établi par M. BOUTERON.

La Comédie humaine, Bibliothèque de la Pléiade, Gallimard, nouvelle édition sous la direction de P.-G. CASTEX. En cours de publication. Les volumes déjà parus attestent qu'il s'agira là du meilleur instrument d'étude de la *Comédie humaine*.

L'œuvre de Balzac, publiée dans un ordre nouveau par A. BÉGUIN et J.-A. DUCOURNEAU, 16 vol., Club français du livre, 1950 (plusieurs rééditions). Présente les romans suivant l'ordre chronologique de leurs intrigues.

La Comédie humaine, coll. « L'Intégrale », publiée par P. CITRON, Seuil, 6 vol. La moins chère des éditions complètes de l'œuvre et néanmoins précieuse par ses notes et documents.

Nombreuses éditions séparées en Classiques Garnier avec introductions, notes, variantes et bibliographies.

Nombreuses éditions séparées, présentant de bonnes garanties pour l'établissement du texte, mais avec un appareil critique réduit ou inexistant, en Folio et en Garnier-Flammarion.

Correspondance (édition R. PIERROT), Classiques Garnier, 5 vol.

Lettres à Madame Hanska (édition R. PIERROT), Les Bibliophiles de l'originale, 3 vol.

APPROCHES RAPIDES DE LA « COMÉDIE HUMAINE »

Balzac, en 2 vol. (1 : la société. 2 : l'individu), par RENÉ GUISE, Hatier, coll. « Thema anthologie ». Morceaux choisis classés par thèmes, précédés d'introductions et suivis d'orientations de lecture.

PICON (GAËTAN), *Balzac par lui-même*, Seuil, « Ecrivains de toujours », 1956. Une synthèse suggestive sur l'imaginaire balzacien. Abondante iconographie.

BARBÉRIS (PIERRE), *Balzac, une mythologie réaliste*, Larousse, « Thèmes et textes », 1971. La vie de Balzac et les structures de son œuvre. Abondante bibliographie.

BIOGRAPHIES

BARDÈCHE (MAURICE), *Balzac*, coll. « Les Vivants », Julliard, 1980.

BILLY (ANDRÉ), *Vie de Balzac*, Flammarion, 1944.

MAUROIS (ANDRÉ), *Prométhée ou la vie de Balzac*, Hachette, 1965.

ÉTUDES D'ENSEMBLE

BARBÉRIS (PIERRE), *Balzac et le mal du siècle*, Contribution à une physiologie du monde moderne, 2 vol. (1 : 1799-1829. 2 : 1830-1833), Gallimard, 1970. Thèse monumentale, utile pour des étudiants de haut niveau.

BARBÉRIS (PIERRE), *Le monde de Balzac*, Arthaud, 1971. Ouvrage assez volumineux mais accessible, d'une lecture aisée.

BARDÈCHE (MAURICE), *Balzac romancier*, Plon, 1945. Genèse et formation de la *Comédie humaine* jusqu'au *Père Goriot*. Utile malgré son âge.

CURTIUS (E.R.), *Balzac*, trad. H. Jourdan, Grasset, 1933. Demeure un ouvrage de référence.

DONNARD (J.-H.), *Balzac, les réalités économiques et sociales dans « la Comédie humaine »*, Armand Colin, 1961.

EVANS (HENRI), *Louis Lambert et la philosophie de Balzac*, Corti, 1951. La meilleure étude, à notre avis, sur les sources occultistes, chrétiennes, cabbalistiques de la pensée de Balzac et la manière dont elle s'exprime dans *Louis Lambert* mais aussi dans les premières œuvres et dans *Séraphîta*.

FERNANDEZ (RAMON), *Balzac ou l'envers de la création romanesque,* Grasset, 1943, rééd. 1980. Une étude claire, un peu démodée peut-être, sur les rapports de la pensée et de la création littéraire chez Balzac.

GUYON (BERNARD), *La pensée politique et sociale de Balzac,* Armand Colin, 1947.

LUKACS (GEORG), *Balzac et le réalisme français,* trad. P. Laveau, Maspero, 1967. Etude des *Paysans* et d'*Illusions perdues.*

MARCEAU (FÉLICIEN), *Balzac et son monde,* Gallimard, 1955 et 1970. Décrit toutes les facettes du monde de la *Comédie humaine* comme si nous y étions. Utile et vivant, sinon profond.

NYKROG (P.), *La pensée de Balzac,* essai sur quelques concepts clefs, Munskgaard, 1966.

WURMSER (ANDRÉ), *La Comédie inhumaine,* Gallimard, 1964 et 1970. Ouvrage abondant, documenté, vivant, écrit dans un style peu académique.

DICTIONNAIRES

LONGAUD (FÉLIX), *Dictionnaire de Balzac,* Larousse, 1969.

LOTTE (FERNAND), *Dictionnaire biographique des personnages fictifs de la « Comédie humaine »,* Corti, 1952. Enorme répertoire qui permet de «circuler» avec facilité entre les diverses parties de la *Comédie humaine.* Utile et amusant.

PUBLICATIONS

Nous nous bornons à *L'année balzacienne,* Garnier édit., publiée depuis 1960 sous la direction de J. Pommier et P.-G. Castex, réservoir prodigieux d'articles de synthèse (ainsi de F. Lotte, *Le retour des personnages dans la « Comédie humaine », Année balzacienne* 1961) aussi bien que de curiosités scientifiques, biographiques et anecdotiques de toute sorte.

Index des principaux personnages

Nous indiquons ici, à la suite du nom de quelques-uns des principaux personnages, les œuvres dans lesquelles ils apparaissent suivant la chronologie de leur vie.

Liste des abréviations à la suite de l'index

ARTHEZ (Daniel d'), écrivain honnête et génial: Ma, R, SMC, MM, PGr, AEF, MJM, SPC, TA, DA, B.

BIROTTEAU (César), parfumeur: R, CBi, EHC, P, PBo, MCa, CBe.

ESPARD (marquise d'), figure en vue du faubourg Saint-Germain, déteste Lucien de Rubempré: CBi, I, PGo, BS, IP, CA, E, MJM, SMC, Fi, MNu, AEF, Ga, FE, FM, DA, CBe, CM, Lys, B.

GOBSECK (Jean-Esther van), usurier: Gb, CBi, E, SMC, PBo, PGo, UM, CM, CSS.

GORIOT (Jean-Joachim), vermicellier enrichi pendant la Révolution: PGo, Gb, MM.

GRANVILLE (cte Roger de), procureur général: TA, DF, FE, Ad, CBi, E, H, CM, SMC, I, CP, CV.

LAMBERT (Louis), penseur génial, mort prématurément victime de son activité cérébrale: LL, IP, MI, DBM.

LANGEAIS (duchesse de), l'une des «reines de la mode» sous la Restauration, morte au couvent: DL, PGo, Lys, CA, B, SPC, IP.

MARSAY (cte Henri de), dandy à la mode, devient ministre puis président du Conseil sous la Monarchie de juillet: FYO, AEF, R, CA, Fer, MJM, PGo, IP, Pay, SMC, BS, SPC, Lys, UM, CM, CBi, DL, FTA, I, FE, Gb, DA, FM, TA, MM, MNu.

MORTSAUF (ctesse de), épouse du cte de Mortsauf, secrètement amoureuse de Félix de Vandenesse: Lys, EF, IP, CBi.

NUCINGEN (Frédéric, baron de), banquier, amant d'Esther Gobseck: MNu, CBi, P, SMC, I, IP, SPC, PBo, HA, MR, CBe, CP, EHC, FYO, FM, B, EG, Fer, Gb, PCh, FE, CSS, R, DA, E, MD.

NUCINGEN (baronne de), épouse du précédent, fille cadette du père Goriot: PGo, CBi, IP, MNu, SPC, AEF, CM, Fer, MR, E, SMC, DA, FE.

RASTIGNAC (cte Eugène de), étudiant sans le sou à son arrivée à Paris, finira ministre; figure souvent le type de l'«arriviste»: PGo, MNu, IP, CA, FE, SMC, I, UM, PCh, AEF, B, FM, R, CBe, SPC, MR, BS, EF, DA, CSS, TA.

RESTAUD (ctesse de), fille aînée du père Goriot: PGo, Gb, MNu, BS, PCh.

RUBEMPRÉ (Lucien Chardon, dit de), jeune Angoumoisin qui tente le succès à Paris avant de lier son sort à Vautrin et de se suicider en prison: IP, MM, SMC, E, SPC, CP.

TILLET (Ferdinand, dit du), banquier sans scrupule, politicien arriviste: CBi, PBou, FTA, MR, EHC, P, MNu, SMC, HA, PMV, FE, DA, MD, CSS, CBe, E, R, SPC, B, PB.

TRAILLES (cte Maxime de), dandy, puis «grand faiseur de la politique»: B, DA, HA, Gb, CBi, PGo, CA, IP, FM, UM, SPC, CBe, I, SMC, CSS.

VANDENESSE (vicomte, puis cte Félix-Amédée de), amoureux malheureux de Madame de Mortsauf, amant tumultueux de lady Dudley, belle carrière politique sous la Restauration: Lys, FE, BS, IP, CA, PGo, Gb, I, AEF, DV, MJM, CBi, CM, TA.

VAUTRIN (Jacques Collin, dit l'abbé Carlos Herrera, ou), forçat évadé du bagne à deux reprises, protège de son affection Rastignac et Lucien de Rubempré, complote encore avant de devenir chef de la police: SMC, PGo, IP, CM.

Dans cet index ne figurent pas certains personnages célèbres de la *Comédie humaine* qui n'apparaissent que dans une œuvre: le père Grandet et sa fille *(Eugénie Grandet)*, le baron Hulot *(La cousine Bette)*, Balthazar Claës *(A la recherche de l'Absolu)*, Raphaël de Valentin *(La peau de chagrin* et une brève allusion dans *Les martyrs ignorés)*, le cousin Pons. Ne figurent pas non plus des personnages qui apparaissent au contraire dans une quantité considérable d'œuvres, mais n'occupent de place importante dans aucun des romans connus: le médecin Horace Bianchon, le journaliste Étienne Lousteau, l'écrivain Raoul Nathan, etc.

ABRÉVIATIONS UTILISÉES

Ad: *Adieu.* AEF: *Autre étude de femme.* B: *Béatrix.*
BS: *Le bal de Sceaux.* CA: *Le cabinet des antiques.*
CBi: *César Birotteau.* CM: *Le contrat de mariage.*
CP: *Le cousin Pons.* CSS: *Les comédiens sans le savoir.*
CV: *Le curé de village.* DA: *Le député d'Arcis.* DF: *Une double famille.*
DL: *La duchesse de Langeais.* DBM: *Un drame au bord de la mer.*
DV: *Un début dans la vie.* E: *Les employés.*
EHC: *L'envers de l'histoire contemporaine.* EF: *Étude de femme.*
Fer: *Ferragus.* FA: *La femme abandonnée.* FE: *Une fille d'Ève.*
Fir: *Madame Firmiani.* FM: *La fausse maîtresse.*
FTA: *La femme de trente ans.* FYO: *La fille aux yeux d'or.*
Ga: *Gambara.* Gb: *Gobseck.* H: *Honorine.* HA: *Un homme d'affaires.*
I: *L'interdiction.* IP: *Illusions perdues.* LL: *Louis Lambert.*
Lys: *Le lys dans la vallée.* Ma: *La messe de l'athée.*
MCa: *Le médecin de campagne.* MD: *La muse du département.*
MI: *Les martyrs ignorés.* MJM: *Mémoires de deux jeunes mariées.*
MM: *Modeste Mignon.* MNu: *La maison Nucingen.* MR: *Melmoth réconcilié.*
P: *Pierrette.* Pay: *Les paysans.* PBou: *Les petits bourgeois.*
PCh: *La peau de chagrin.* PGo: *Le père Goriot.* PGr: *Pierre Grassou.*
PMV: *Petites misères de la vie conjugale.* PB: *Un prince de la Bohême.*
R: *La rabouilleuse.* SMC: *Splendeurs et misères des courtisanes.*
SPC: *Les secrets de la princesse de Cadignan.*
TA: *Une ténébreuse affaire.* UM: *Ursule Mirouët.*

Index des titres commentés dans cet ouvrage

Cet index ne contient que les titres de la *Comédie humaine.* Il ne prend pas en compte le tableau contenu dans les pages 13 à 15.

COLLECTION PROFIL

● PROFIL SCIENCES HUMAINES

Présentation d'un livre fondamental (économie, sociologie, psychanalyse, etc.)

201 - **Galbraith** - Le nouvel état industriel
203 - **Keynes** - Théorie générale
204 - **Malthus** - Le principe de population
205 - **Freud** - Introduction à la psychanalyse
206 - **Machiavel** - Le Prince
208 - **Tocqueville** - La démocratie en Amérique
209 - **Fourastié** - Les 40 000 heures
210 - **Friedmann** - Le travail en miettes
212 - **Marx** - Le Capital
213 - **Bataille** - L'érotisme
214 - **Beauvoir** - Le deuxième sexe
215 - **Mao Tsé-Toung** - Le petit livre rouge
216 - **Lévi-Strauss** - Tristes tropiques
217 - **Foucault** - Histoire de la folie
218 - **Descartes** - Discours de la méthode

● PROFIL FORMATION

Expression écrite et orale

305 - Explorer le journal
306 - Trouvez le mot juste
307 - Prendre la parole
308 - Travailler en groupe
309 - Conduire une réunion
310 - Le compte rendu de lecture
311/312 - Le français sans faute
323 - Améliorez votre style
342 - Testez vos connaissances en vocabulaire

Le français aux examens

303/304 - Le résumé de texte
313/314 - Du plan à la dissertation
324/325 - Le commentaire de texte au baccalauréat
357/358 - Annales de français 1980
359/360 - 50 romans clés de la littérature française
362 - L'oral de français au baccaulauréat
365/366 - Bac français 1981

Bonnes copies de bac

Authentiques copies d'élèves, suivies chacune d'un commentaire

315/316 - Philosophie, t. 1
343/344 - Philosophie, t. 2
317/318 - Français : commentaire de texte, t. 1
349/350 - Français : commentaire de texte, t. 2
319/320 - Français : dissertation, essai, t. 1
347/348 - Français : dissertation, essai littéraire, t. 2
345/346 - Histoire/géographie, t. 1
329 - Anglais

La philosophie au bac

Toutes les notions du programme de terminale

330 - Violence et pouvoir
331 - Le pouvoir des signes
332 - Désir et raison
333 - L'homme en question
334 - Liberté et valeurs morales
335 - Le travail humain
336 - La pensée formelle
337 - La soif d'éternité
338 - Savoir et pouvoir I
339 - Savoir et pouvoir II
340/341 - Lexique de philosophie

Les mathématiques au baccalauréat

351/352 - Bonnes copies de bac. Mathématiques en terminales C et D
353/354 - Problèmes avec solutions : mathématiques en terminale C
355/356 - Problèmes avec solutions : mathématiques en terminale D

● PROFIL ACTUALITÉ

401 - Le terrorisme
402 - Vers la dictature des média ?
403 - Le socialisme suédois
404 - Ordinateurs et vie quotidienne
405 - Les planifications économiques
406 - Problèmes démographiques d'aujourd'hui
407 - Les Françaises, aujourd'hui
408 - L'inflation
409 - La réduction des inégalités
410 - Le système monétaire international
411 - Qu'est-ce que l'écologie ?
412 - Les multinationales
413 - Découverte de l'entreprise

● PROFIL VOTRE AVENIR
PROFIL DOSSIER
PROFIL SOCIÉTÉ
PROFIL SCIENCES

Une cinquantaine d'autres titres (au catalogue de la collection Profil).

Imprimé en France par MAURY-IMPRIMEUR S.A. – 45330 Malesherbes
Dépôt légal : Février 1982
N° d'édition : 5918 – N° d'impression : B82/11081